DU MÊME AUTEUR

Nègres blancs d'Amérique, Parti Pris, 1968.

L'Urgence de choisir, Parti Pris, 1971.

L'Exécution de Pierre Laporte, «Les dessous de l'Opération Essai», Éditions Québec-Amérique, 1977.

Un Québec impossible, Éditions Québec-Amérique, 1977.

pierre vallières
LES SCORPIONS ASSOCIÉS

AISLIN 77
MONTRÉAL GAZETTE

ÉDITIONS QUÉBEC|AMÉRIQUE

450 est, rue Sherbrooke, suite 801
Montréal H2L 1J8 (514) 288-2371

« Il n'est pas de réflexion véritable qui ne finisse par poser plus de questions qu'elle n'en résout. Une activité de pensée, scientifique, littéraire ou artistique, peu importe, ne prend sens que par les certitudes qu'elle réfute, par les préjugés qu'elle ruine — fussent-ils ceux sur lesquels elle est fondée. Métaphysiques ou politiques, il est d'usage de n'avouer ses perplexités qu'à l'abri des réponses, mêmes provisoires, que fournit tel ou tel système de prêt-à-penser. Oserons-nous avancer à découvert, retrouver le questionnement et revendiquer l'incertitude ? »

Jean-Marc Lévy-Leblond, physicien.

« Le *mal politique* n'est pas seulement une réalité extérieure à la démocratie, mais il peut en être le produit interne et inconscient. Le *retournement* de la démocratie contre elle-même fait vaciller nos idées reçues et nos certitudes les plus profondes. (...) Pour libérer la pratique des entraves des vieilles représentations, il faut apprendre à penser librement. »

Pierre Rosanvallon et Patrick Viveret
Pour une nouvelle culture politique

« Fini l'assassinat massif du présent et du futur à coups redoublés du passé. »

Paul-Émile Borduas, *Refus global*.

Introduction

NATION ET ENTREPRISE PRIVÉE

Une nation n'est pas une compagnie privée, et pourtant... Ce sont des compagnies, celles de la Nouvelle-France, des Cent-Associés, du Canada, etc., qui furent les agents du peuplement de notre territoire et les fondateurs de la nation québécoise.

Nous sommes les produits d'une *entreprise*.

Au départ, il y a 350 ans, la nation était féodale, soumise aux intérêts et aux privilèges de l'aristocratie française et des seigneurs locaux. Vint ensuite, sous la poussée de l'impérialisme britannique, la nation libérale et bourgeoise fondée sur la propriété privée, la libre concurrence, la prolétarisation des travailleurs et l'urbanisation de la vie sociale. Depuis les années 50, cette nation est devenue une banlieue américaine de consommateurs passifs dont la prospérité ou la misère dépend entièrement du bon vouloir des grandes entreprises multinationales qui, avec la complicité des élites politiques « nationales », ont procédé à l'intégration accélérée du Québec et du Canada à l'économie, au système de valeurs et aux intérêts hégémoniques des États-Unis.

« L'entreprise nationale » n'a jamais été, à aucun moment de son histoire, indépendante, libre ou autonome. Bien au contraire, elle a toujours été dépendante de l'évolution du capitalisme. Au XVIIᵉ siècle, le capitalisme mercantiliste a besoin de l'expansion coloniale aux quatre coins du globe. L'enrichissement des élites européennes requiert en effet la conquête de nouveaux territoires, riches en matières premières et en ressources agricoles. L'exploitation de ces ressources, que l'on vole aux autochtones (ici les Amérindiens) par la force des armes, exige une main-d'œuvre acquise culturellement aux intérêts «supérieurs» de l'Europe «civilisée». Cette main-d'œuvre est donc expédiée d'Europe pour les besoins de la cause. Elle est, dès le départ, encadrée par des militaires, des marchands, des administrateurs professionnels, des juristes et des missionnaires.

L'Espagne, le Portugal, la France et l'Angleterre se livrent à cette époque une guerre à finir pour l'hégémonie. Cette guerre traverse l'Atlantique. L'Amérique est le point de mire des armées européennes et des marchands qui les suivent. L'Espagne et le Portugal se concentrent dans l'hémisphère sud du continent. L'Angleterre et la France s'affrontent au nord. Pendant 150 ans, deux systèmes semblables de colonisation et de génocide vont tenter en Amérique du Nord d'imposer leur suprématie en éliminant par la guerre une double concurrence, celle de leur adversaire européen et celle de l'indigène.

L'affrontement décisif de 1756-1760 consacre finalement la suprématie industrielle, monétaire, commerciale, maritime et militaire de l'Angleterre. L'entreprise nationale, au pays de Champlain, est aussitôt satellisée par l'empire britannique. Rapidement, elle deviendra bicéphale. Bas-Canada à forte majorité francophone. Haut-Canada monolithiquement anglophone.

Quelques années plus tard, la nation américaine se libère de la tutelle britannique. La déclaration unilatérale d'indépendance du 4 juillet 1776 amorce un processus irréversible. En 1783, l'Angleterre se résigne à la perte des États-Unis. Elle concentre ses efforts dans « la quatorzième colonie », celle du Canada.

Londres n'entend pas laisser l'entreprise canadienne être annexée par les États-Unis. Dans un premier temps, les Britanniques cherchent à éliminer les Américains du riche commerce des fourrures dans la région des Grands Lacs, mais ils doivent bientôt leur céder les meilleurs postes de traite. La « survivance » de la 14ᵉ colonie dépend en effet de cette *concession*. Sans quoi, c'est la guerre. Les États-Unis comptent alors trois millions d'habitants ; le Canada en regroupe à peine 113 000 (dont 80 000 francophones).

Alors que les États-Unis et l'Angleterre se disputent le leadership mondial de l'économie capitaliste *libérale,* le parlementarisme est introduit au Canada. La majorité du pays étant d'origine française, donc à priori « hostile », Londres choisit de paralyser le fonctionnement de ce parlementarisme en soumettant les décisions des députés au véto d'un conseil exécutif non élu. De nouvelles élites, gagnées à l'idéologie républicaine, se forment tant dans le Bas-Canada francophone que dans le Haut-Canada anglophone. Un conflit ne tarde pas à éclater entre les partisans d'une république à l'américaine, plus conforme aux structures et au dynamisme du capitalisme libéral, et ceux de la colonie traditionnelle. Ces derniers, soutenus par Londres, cherchent dans le conservatisme et dans le loyalisme une protection contre l'influence américaine. En 1837-1838, c'est la guerre civile. L'armée britannique écrase les « rebelles », mais pour éviter le pire, l'Angleterre se résout peu après à placer l'entreprise canadienne sur les rails du progrès.

Londres décide de *forcer* la fédération des deux Canadas et de plus petites colonies, comme le Nouveau-Brunswick et la Nouvelle-Écosse. Elle annexe d'autorité à cette fédération l'ouest et le nord du pays. L'Acte de l'Amérique du Nord britannique donne naissance en 1867 à un Canada *uni*. Cette loi est votée par le Parlement britannique comme s'il s'agissait d'un simple *bill privé*. C'est d'ailleurs une bonne affaire pour les banquiers de Londres qui auront à financer le développement des chemins de fer, des canalisations et autres voies de communications, d'un océan à l'autre. Le jour même de la proclamation royale de l'A.A.N.B., le 24 mai 1867, Londres garantit aux banquiers un emprunt de 3 000 000 de livres pour la construction du chemin de fer intercontinental.

L'entreprise canadienne est alors une filiale à part entière de l'empire britannique. Les Canadiens (et les Québécois) demeureront citoyens britanniques jusqu'en 1947. Depuis 30 ans, la citoyenneté «canadienne» existe sur papier mais, en réalité, elle ne signifie pas grand-chose.

Juridiquement et constitutionnellement, la reine d'Angleterre est encore aujourd'hui chef de l'État canadien et c'est à ce titre qu'elle a inauguré le dernier «parlement» à Ottawa. On a bien raison de dire que la juridiction britannique est plus fictive que réelle au pays. L'étiquette est «british» mais le produit ne l'est plus depuis longtemps. Comme les voitures de General Motors assemblées à Sainte-Thérèse ne sont pas plus québécoises que celles assemblées en Ontario ne sont canadiennes. Dans les faits, la citoyenneté canadienne, âgée de 30 ans seulement, est américaine depuis sa «libération» du sceau royal.

La maison mère est aujourd'hui aux États-Unis. La succursale canado-québécoise, dans le cadre du système dominant, n'a d'autre choix que celui de se plier bon gré mal gré aux méthodes et aux intérêts du capitalisme de monopole. Comment faire autrement lorsqu'un pays fonde sa raison d'être sur le capitalisme?

Jusqu'à la Deuxième Guerre mondiale, les Québécois ont bien tenté d'échapper au processus en se repliant sur leurs fermes. Mais l'industrialisation alla les chercher jusque dans les régions dites de «colonisation», comme aujourd'hui elle va chercher et déposséder les Inuits de l'Ungava et de la Baie d'Hudson.

Cette évolution ne fait que prolonger le processus de conquête et de domination amorcé il y a 350 ans par les Cent-Associés. Mais en 1978, les associés sont des multinationales, quelque 200 entreprises géantes qui dominent et contrôlent les activités économiques, politiques, sociales et culturelles de la «société industrielle». Cette société dépasse les dimensions d'une nation ou d'un État. Elle regroupe déjà la fine fleur du *triangle des riches*: l'Amérique du Nord (États-Unis et Canada confondus), l'Europe et le Japon. L'empire américain jouit d'une base territoriale *tricontinentale* et l'on prévoit que ce «centre du monde développé», comme il se définit lui-même, verra en 1985 sa production contrôlée par 100 ou peut-être même seulement 60 entreprises super-géantes.

Les Cent-Associés de 1978

La revue *Entreprise,* dans son numéro du 15 novembre 1969, formulait les prévisions suivantes: «La réalité du monde économique (et politique) de demain repose sur trois chiffres: 1985, une soixantaine de sociétés, mille milliards de dollars; une stratégie: le multinationalisme; une certitude: la concentration du pouvoir économique; une forte probabilité: la domination américaine sur l'ensemble du monde industrialisé.»

La domination américaine, faut-il souligner, repose non seulement sur l'arme atomique mais aussi et surtout sur le montant cumulé des investissements directs à l'étranger. Ces investissements que les Canadiens et les Québécois quémandent sans arrêt comme si leur vie en dépendait.

Chez nous, les actifs cumulés, détenus directement ou indirectement par les méga-entreprises (presque toutes américaines) ont atteint environ 80 pour 100 du total et rien ne s'oppose en principe à l'accès éventuel des multinationales au *gouvernement absolu* de toute l'activité économique du Canada et du Québec et, partant, au gouvernement absolu de leur fonctionnement politique, de leurs activités sociales et de leurs attitudes culturelles. Le processus qui conduit logiquement à une telle situation est déjà considérablement avancé et rien ne laisse prévoir son ralentissement prochain. Aucune volonté politique ne manifeste en effet la moindre intention de contester la domination du multinationalisme. La presse, qui se trouve au cœur du pouvoir, s'est résignée à cette évolution que les média électroniques, de leur côté, contribuent sciemment à accélérer. Quant à l'université, elle est devenue une machine à fabriquer de la matière grise pour les grandes entreprises et pour la bureaucratie étatique. Le même phénomène se développe simultanément au Japon et en Europe. Si aucun changement majeur n'intervient, si aucune volonté politique rebelle ne se manifeste, il est probable que vers l'an 2000 le nombre des super-géants industriels tendra vers la valeur limite qui est égale à l'unité. Il est probable également qu'un gouvernement mondial sera alors institué et qu'il sera dirigé par une méga-entreprise technocratique plutôt que par un super-parlement « démocratique ».

Le pluralisme des États ne sert plus aujourd'hui les intérêts du multinationalisme industriel. La démocratie non plus, d'ailleurs. Quant au nationalisme, inutile de dire qu'il est considéré comme une réaction sénile de frustration maladive lorsqu'il se manifeste, comme au Québec présentement, au sein du triangle des riches. Avant René Lévesque, Walter Gordon l'avait constaté lorsqu'il avait été contraint de démissionner du cabinet fédéral pour crime de « nationalisme ».

Le multinationalisme industriel commande en réalité le développement social. Sa domination s'étend de l'agro-alimentaire à l'électronucléaire. C'est dire l'étendue de son pouvoir de décision, d'orientation et d'encadrement. Il fait du blé une arme aussi redoutable que la bombe atomique. Le pouvoir d'affamer figure dans sa stratégie hégémonique au même titre que l'appareil militaire des États-Unis et de l'O.T.A.N. Pour que l'arme alimentaire soit efficace, il n'hésite pas à déposséder des pays entiers (comme c'est le cas du Québec, par exemple) de leur agriculture. Il fait du gaspillage et de l'épuisement des sols une méthode industrielle d'exploitation dont le principal résultat est la croissance de la famine et de la malnutrition dans le monde. Il stimule en même temps la construction de banlieues résidentielles, d'usines polluantes, d'aéroports et de parcs d'amusement sur les meilleurs terres de ses « alliés ». Systématiquement, il dépossède les individus et les collectivités des bases de leur indépendance, de leur liberté et de leur dignité. En échange d'un peu d'argent de poche, il asservit l'homme à mener le genre de vie qu'il a décidé unilatéralement de lui imposer. Tout cela pour un double objectif: le profit et la puissance. Objectif, bien sûr, réservé aux plus riches, aux plus forts et aux plus cyniques. La concentration du pouvoir économique et politique vise, en fait, l'établissement sur toute la planète d'un régime unique et totalitaire.

La crise économique que nous connaissons présentement découle de la stratégie que je viens de résumer. Elle n'affecte en rien la prospérité et la puissance des multinationales. Elle frappe d'abord les petits et moyens entrepreneurs en même temps que leur main-d'œuvre. La crise, en fait, prépare un nouveau bond en avant de la grande entreprise et sonne le glas de ce que l'on nommait « la libre concurrence », l'une des notions fondamentales du libéralisme.

On n'a aucun mal à se représenter l'indifférence totale de Ford, Bendix, Exxon, I.T.T., General Motors, Coca-Cola ou Dunlop vis-à-vis des difficultés quasi-insurmontables que rencontrent aujourd'hui les petites et moyennes entreprises autochtones. Les techniques utilisées par les multinationales pour éliminer la concurrence sont bien connues : elles achètent et intègrent les P.M.E. les plus rentables, elles éliminent tout simplement les autres. Les ex-entrepreneurs de chez nous sont condamnés soit à la retraite soit à la gestion d'affaires sur lesquelles ils n'exercent aucun contrôle véritable. La logique qui préside au développement de l'entreprise américaine la pousse irrésistiblement à s'attribuer le monde entier comme domaine *privé*. Les petits entrepreneurs locaux ne sont tolérés que dans la mesure où ils ne dérangent pas ou ne sont pas susceptibles de déranger la planification internationale de l'économie que pratiquent les super-géants. (Le capitalisme d'État de l'U.R.S.S. n'a rien inventé.)

Les petites et moyennes nations se trouvent dans une situation identique à celle des petites et moyennes entreprises. Pour les P.M.E., l'espoir de « survie » repose souvent sur une éventuelle absorption par un monopole. Pour les petites et moyennes nations dont l'industrialisation et le niveau de vie sont contrôlés de l'extérieur, comme c'est le cas du Québec et du Canada, la satellisation n'offre également d'autre perspective d'avenir qu'une éventuelle absorption. Le seul moyen d'échapper à l'annexion est d'opter collectivement pour une société non capitaliste. Pour les petites et moyennes nations, le capitalisme, qu'il soit privé ou étatique, mène infailliblement à la dépendance et au « melting pot ».

« L'entreprise nationale » chez nous, après trois siècles de survivance difficile, est devenue succursale américaine. Personne ne conteste plus cette évidence. Il y a près de 20 ans déjà, des économistes prévoyaient la disparition pure et simple de l'entreprise nationale canadienne. Cette entreprise ayant en effet cédé la plus grande part de la propriété et du contrôle de ses moyens de production aux Américains, son arrêt de mort ne fait plus de doute. Pierre Trudeau dut le constater dès la première année de son gouvernement. En 1968, la crise du dollar canadien obligea en effet Ottawa à passer par Washington pour communiquer avec les compagnies « canadiennes » et pour les exhorter au calme. C'est M. Fowler, alors secrétaire d'État américain au Trésor, qui indiqua aux milieux d'affaires « la ligne à suivre ». Melville H. Watkins souligne ce fait dans un article publié en 1969 dans *Journal of Canadian Studies*. Il en concluait avec raison que le « Dominion du Canada » était encore bien loin de l'indépendance.

Par définition et par nature, une succursale ne peut être *souveraine*. Le professeur Hugh G. J. Aitken, dans un ouvrage qui date de 1960 (*American Capital and Canadian Resources,* Harvard University Press), notait que le Canada en était réduit à résister à certaines décisions américaines par des appels futiles au «fair-play ». Comme on sait, le « fair-play », cher aux économistes de l'école libérale, a toujours favorisé le plus fort. C'est pourquoi, concluait Aitken, « pour faire prendre quelque décision que ce soit aux États-Unis (par exemple, une réduction de certains tarifs douaniers pour des produits « canadiens » exportés aux États-Unis), le Canada doit d'abord prouver que cette décision sert les intérêts nationaux des États-Unis », c'est-à-dire de la grande entreprise américaine.

La branche québécoise de l'entreprise canadienne, qui pour l'essentiel est déjà absorbée par l'entreprise américaine, n'échappe pas à ce processus, même si au Québec l'autonomie politique et culturelle est sans cesse revendiquée. Car cette revendication se trompe de cible. Elle vise Ottawa sans toucher le fond du problème, la mainmise américaine.

La « souveraineté-association », préconisée par le gouvernement Lévesque, demeure un objectif confus et l'on verra plus loin qu'il risque de plus en plus d'agiter du vent. De toutes façons, on voit mal la méga-entreprise américaine souhaiter le morcellement de sa succursale canadienne, quand la tendance est au contraire à la concentration maximale du pouvoir économique et, par conséquent, du pouvoir politique. Avis aux partisans d'un néo-fédéralisme décentralisé ou d'une forme quelconque de statut particulier pour le Québec. Le multinationalisme peut certes admettre que soit modifiée la forme juridique de la fiction politique canadienne. Il n'acceptera jamais que l'on touche à son pouvoir. Pourtant, la contestation de ce pouvoir est indispensable à tout espoir de libération. En dehors ou à côté de cette contestation, il n'y a rien de sérieux dans l'actuel débat constitutionnel.

Issue d'une entreprise impériale de colonisation, la nation québécoise doit aujourd'hui son niveau de vie, ses problèmes sociaux, son chômage chronique, sa police omniprésente et sa bureaucratie considérable à une entreprise impériale radicalement différente de celle autrefois conduite par la France. En 350 ans, le centre de l'empire s'est déplacé, mais, pour « notre » entreprise nationale, la satellisation a été un état permanent. Pour s'autodéterminer, la nation devrait en tout premier lieu renoncer aux « avantages économiques » de la succursalisation, sacrifier son mode de vie actuel, *redémarrer* sur des bases entièrement nouvelles et inédites, défendre farouchement son identité, bref, différencier profondément ses besoins et ses intérêts de ceux des États-Unis et du capitalisme de monopole.

PAS QUESTION ! répliquent en chœur nos hommes d'affaires, nos commerçants, nos professionnels, nos politiciens, nos experts, nos directeurs de journaux, nos éditorialistes et, admettons-le, la majorité des consommateurs engagés dans une course morbide et sans fin dont personne (ou à peu près) ne songe à se retirer volontairement pour vivre autre chose. On ne peut pas revenir en arrière, dit-on, comme si vouloir se libérer était une attitude conservatrice et persévérer dans la dépendance, une attitude progressiste ! On ne peut pas empêcher la machine industrielle de tourner, précise-t-on. On ne peut pas renoncer à l'automobile, aux ordinateurs, à la câblodiffusion, à la lessiveuse automatique, à l'électronucléaire, aux produits pharmaceutiques, à la maison unifamiliale, à la piscine de fond de cour, *à l'argent,* au confort moral « propre, propre, propre » que chante le p'tit Simard de Vancouver à Moncton. *So what ?*

Quel sort sera donc réservé au Parti québécois et aux espoirs qu'il avait soutenus jusqu'à l'élection du 15 novembre 1976 ? On a vu le gouvernement Lévesque, dans un premier temps, confondre ses revendications

avec celles des petites et moyennes entreprises mena-
cées de faillite. Dans un deuxième temps, il a tout à
coup reconnu les « incomparables avantages » du projet
fabuleux de la Baie James ; il a multiplié à son tour
les emprunts à l'étranger ; il a accordé un important
contrat à la General Motors et sollicité de l'Alcan de
nouveaux investissements ; il a décidé de serrer la vis
aux hôpitaux et de parachever plutôt le stade olympi-
que du maire Drapeau, de construire à Montréal un
« Palais des congrès » et à LaPrade une usine d'eau
lourde, etc. Dans un troisième temps, lors du discours
inaugural du 21 février dernier, il annonçait un moment
d'arrêt dans les « réformes » et faisait appel à la « raisonnabilité » des syndicats. Si le gouvernement Bourassa avait été maintenu au pouvoir, la situation serait-
elle différente ? Visiblement, l'opposition d'hier n'était
pas prête en 1976 à former un gouvernement *indépendantiste*.

En 15 mois à peine d'exercice du pouvoir, « l'indépendance tranquille », que M. Lévesque entrevoyait
au départ comme irréversible, cédait ses illusions aux
contraintes de l'entreprise étrangère. On demanda alors
au gouvernement fédéral « inefficace et dépassé » de
venir au secours des petites et moyennes entreprises
québécoises. Ottawa accueillit ce S.O.S. inattendu avec
beaucoup de condescendance ironique. Les mandarins
fédéraux savent pourtant vers où se dirigent les négo-
ciations du G.A.T.T. (accord général sur les tarifs et
le commerce). Les décisions que les plus forts impo-
seront bientôt aux plus petits ne feront qu'accélérer
encore davantage l'intégration tricontinentale des économies de l'Amérique du Nord, de l'Europe et du
Japon, *sous le leadership américain*. Et tant pis pour
les P.M.E., pour les industries du textile, du vêtement,
de la chaussure et du bois. Tant pis pour les chômeurs
et pour les politiques d'« achat chez nous ».

René Lévesque se rendra à nouveau aux États-Unis cette année pour y expliquer les bonnes intentions de son gouvernement. Dans l'empire, on ne ratera sûrement pas l'occasion de rappeler au premier ministre les vertus de la « raisonnabilité » et les vices impardonnables du nationalisme. On tentera peut-être de l'aligner sur l'orthodoxie équilibrée et vicieuse que pratique un Claude Ryan devenu en quelques mois l'alternative providentielle à « l'aventure péquiste ». Pendant ce temps au Québec, on continue à gouverner sans imagination et à rêver dans les salons patriotiques d'un théorique État français en Amérique du Nord. Maurice Duplessis et Lionel Groulx, sortis du cimetière pour les besoins de ce rêve, deviennent les « super-stars » du P.Q. À quand la réhabilitation *post mortem* d'Alexandre Taschereau et de Camilien Houde ? Et pourquoi pas celle, *in tempore opportuno*, de Jean Drapeau ?

Une fois de plus, la politique officielle tourne au grand guignol. Nous assistons à une perpétuelle campagne électorale où tout est permis, y compris l'incohérence et le ridicule, parce que le pouvoir de décision est ailleurs.

Nous sommes le produit d'une *entreprise,* ai-je dit plus haut. Tout indique que du point de vue de l'entreprise, la volonté politique doit absolument, pour être qualifiée de raisonnable et de fonctionnelle, se composer d'une bonne mesure d'apathie et de soumission. Sans quoi, la volonté politique devient ce que la Commission trilatérale nomme « une atteinte à la sécurité de l'entreprise privée » (cette sécurité indispensable que la G.R.C., sous la supervision de la C.I.A., a pour fonction de préserver du « sabotage »).

Sécurité nationale et sécurité de l'entreprise : deux concepts qui recouvrent une réalité unique. « Les scandales de la G.R.C. » renvoient à ceux d'I.T.T. et le chantage aux « mesures de guerre » à celui de la Sun Life et du Royal Trust. Telle est la vérité fondamentale que cache « le secret d'État ».

La démocratie restreinte

Les journalistes qui n'acceptent pas les règles du jeu et qui « provoquent dans la population des attitudes défavorables à l'égard des institutions » ; les hommes et les partis politiques qui rendent la démocratie « ingouvernable » ; les syndicats qui formulent des demandes « irresponsables » ; les intellectuels, les enseignants, les étudiants et les minorités qui perturbent l'harmonie sociale (le « law and order » d'une société « virile » et productive) ; tout ce monde-là n'a qu'à bien se tenir ! « Il y a des limites potentiellement souhaitables à l'exercice et à l'extension de la démocratie », peut-on lire en conclusion d'un rapport, vieux de deux ans à peine, préparé à l'intention de la Commission trilatérale et dont le contenu a été abondamment discuté depuis par les grands seigneurs du capitalisme multinational.

La Commission trilatérale n'est pas un cercle philantrophique ni un groupe quelconque d'études théoriques. C'est en fait un *gouvernement* multinational, occulte et très influent. Fondée en 1973, à l'instigation de David Rockefeller, la Commission trilatérale a été dès sa formation généreusement parrainée et équipée (financièrement, intellectuellement, technologiquement et politiquement) par la Chase Manhattan Bank, Exxon, General Motors, la Fondation Ford, Coca-Cola, les propriétaires de la majorité des grands journaux américains (y compris « l'indépendant » *New York Times*), le réseau de télévision N.B.C., des universités et certains syndicats de l'A.F.L.-C.I.O., ceux de la métallurgie et de l'automobile notamment. (D'ailleurs, le secrétaire trésorier de l'A.F.L.-C.I.O., Lane Kirkland, est l'un des membres fondateurs de la Commission trilatérale.)

Aussitôt mise sur pied, la Commission trilatérale se mit à recruter en Amérique du Nord, en Europe et au Japon principalement (mais aussi sur d'autres continents) un capital considérable de matière grise et d'hommes politiques. Elle compte aujourd'hui les dirigeants d'environ 200 multinationales, des technocrates, des journalistes, des dirigeants syndicaux, des banquiers, des ministres, des premiers ministres... et jusqu'au président Jimmy Carter en personne.

Dirigée dès sa fondation par Zbigniew Brzezinski, aujourd'hui conseiller de Carter en matière de sécurité et homme fort de la Maison-Blanche, la Commission trilatérale a placé ses hommes à Washington et s'est assuré le contrôle des secteurs clés des pouvoirs de décision politique. Outre Carter et Brzezinski, qu'il suffise de mentionner le vice-président Walter Mondale, le secrétaire d'État Cyrus Vance, le secrétaire au Trésor Michael Blumenthal, le secrétaire à la Défense Harold Brown et le représentant des États-Unis à l'O.N.U., Andrew Young. On peut affirmer sans exagération que le gouvernement des États-Unis est celui de la Commission trilatérale. Jamais dans l'histoire des États-Unis la politique officielle n'a été aussi étroitement associée à des intérêts privés. La Commission trilatérale ne cache pas d'ailleurs l'ambition des multinationales de gouverner sans rivaux non seulement l'Amérique mais éventuellement le monde entier.

Au Canada, la Commission trilatérale a recruté pas mal de monde, cela va de soi. Entre autres, elle a récupéré Mitchell Sharp, l'ex-ministre canadien des Affaires étrangères, et en a fait le vice-président de sa « division » nord-américaine. C'est dire que l'inté-

gration du Canada aux États-Unis s'est effectuée au
niveau politique le plus élevé. (Mitchell Sharp est l'un
des grands patrons du Parti libéral et le principal responsable de l'accession de Pierre Trudeau à la direction
de ce parti en 1968.)

Au Québec, elle a récemment fait la conquête
de Claude Castonguay qui, incidemment, préside le
Comité des « non » en prévision de l'éventuel référendum sur l'avenir du Québec.

L'establishment euro-américano-nippon a des idées
bien arrêtées. Inventé par les États-Unis à la suite du
« chaos » résultant de la défaite subie au Vietnam et
des « résistances » au multinationalisme enregistrées
en Europe dans les années 60, le *trilatérisme* vise à
obtenir et à conserver le soutien *efficace* des Euro-
péens, des Japonais, des Canadiens, des Québécois,
des Australiens, etc., au leadership des États-Unis et
des multinationales, garantes privilégiées des « valeurs
occidentales ».

Le rapport Huntington sur « la crise de la démocratie », publié en tirage limité aux États-Unis seulement (avec interdiction d'en traduire le contenu) révèle
clairement la vision du monde industriel que partagent
entre elles les grandes entreprises.

Selon ces seigneurs du « monde libre », il existe
au sein du cercle atlantique, des régimes démocratiques
qui risquent fort de devenir ingouvernables si des mesures énergiques ne sont pas rapidement appliquées.
Parmi ces « régimes » inquiétants, soulignons l'Italie, la
France, l'Espagne, le Portugal... et le Québec, où
l'appareil politique tente ou a tenté d'échapper au contrôle de « la classe dominante » (la Commission trilatérale n'a pas peur des mots) et où les intellectuels
(journalistes, éducateurs, écrivains, etc.) « sapent
l'autorité établie » et, pire encore, « s'organisent pour

résister à la pression des intérêts financiers» tout en affirmant bien haut «leur dégoût pour la soumission des gouvernements au capitalisme de monopole».

Pour les multinationales, la démocratie ne peut exister sans une *autorité* ferme, incontestée et soumise aux intérêts du capitalisme. Le discours politique des Trudeau et des Ryan est conforme à cet idéal de démocratie restreinte. Celui de Lévesque, au contraire, est trop ambigu pour ne pas être *nuisible*.

Le gouvernement péquiste est donc indésirable, parce qu'il a pris un trop grand risque. Le risque intolérable d'inviter ou d'inciter à la participation des personnes qui n'acceptent pas pleinement les règles du jeu. Le risque aussi d'accorder certains ministères à des «socialistes». Comme le soulignait en écho docile le Conseil du patronat (le 17 février dernier), ces gens ont multiplié les déclarations hostiles au monde des affaires, ont osé questionner et critiquer le rôle de certaines institutions financières et ont attaqué «la personnalité même des hommes d'entreprises». Voilà un crime qui ne se pardonne pas.

Comme s'il émanait directement de la Commission trilatérale, le dernier mémoire annuel du Conseil du patronat du Québec rappelle que l'intégration économique nord-américaine et nos liens étroits avec les États-Unis ont eu pour résultat «de donner aux citoyens du Québec un niveau de vie qu'aucun pays isolé (comprenez: indépendant) de six millions d'habitants n'aurait pu donner à ses citoyens. (...) Il n'y a pas (chez nous) de commerçant qui ne dépende de l'extérieur. (...) Il n'y a pas un industriel dont la matière première, les procédés techniques, l'outillage ou le marché ne sont pas d'une façon ou d'une autre liés à l'*ensemble* du marché canadien et nord-américain.»

L'absolue dépendance est ainsi présentée comme l'essence même du progrès!

D'où l'opposition du C.P.Q. à la loi 101 sur la langue, à la loi 45 sur les relations de travail, à la mini-réforme de l'assurance-automobile, à l'augmentation du salaire minimum, à la création d'une régie québécoise de l'amiante et, à plus forte raison, à toute forme de «souverainisme», qu'il soit tranquille ou radical.

«L'absence de consensus» dans une société, souligne la Commission trilatérale dans le document cité plus haut, pose en fait le problème de la *légitimité* de son gouvernement. On rejoint là un thème cher à Pierre Trudeau, l'apôtre des mesures de guerre et le définisseur émérite des «situations de crise» et des «gouvernements parallèles».

Comme on peut aisément s'en rendre compte, il est bien difficile d'entrevoir l'avenir avec l'optimisme vertueux des scouts ou l'espièglerie gentille des «insolences du téléphone». Il faut avoir au moins la lucidité de situer «la question du Québec» dans sa dimension *de facto* internationale et abandonner le discours stérile des chicanes fédérales-provinciales. On ne gagne rien à se boucher les yeux ou à s'en remettre au charisme présumé d'un chef de parti.

Si aujourd'hui, je publie ces «lettres ouvertes à René Lévesque», ce n'est certainement pas pour inciter quiconque à la démobilisation mais bien au contraire pour faire entrevoir l'ampleur du défi auquel nous sommes confrontés. Il ne suffit pas de rechercher le secours dérisoire qu'offre théoriquement «le bon droit» lorsque l'on sait qu'il se réduit à solliciter passivement l'équité fictive du «fair-play» ou «la chance au coureur». Il faut pas mal plus que cela à un peuple pour se libérer. Si la majorité veut réellement *s'en sortir*, elle s'en donnera les moyens. Sinon, aucune idéologie, aucun parti, aucun chef, aucun Dieu ne pourra fonder sur elle un espoir valable. Seul le multinationalisme autoritaire peut profiter de la léthargie collective. Il s'emploie d'ailleurs frénétiquement à l'entretenir.

Quant à moi, je n'ai aucune recette miraculeuse à vendre. Je crois toutefois que le principal obstacle à la liberté est ce demi-sommeil des somnambules que pratique, hélas, la majorité. C'est ce demi-sommeil qui l'empêche d'identifier ses ennemis et qui permet à Trudeau et à Lévesque de confondre la politique avec « l'extrême centre » de l'immobilisme. D'un océan à l'autre, le réveil tarde dangereusement. Dans moins d'une génération, il risque d'être trop tard pour les Canadiens et les Québécois. En fait, le nationalisme verbal est en train de vivre, au Québec principalement, ses dernières heures. Si l'on ne dépasse pas l'horizon bloqué des idées traditionnelles et des représentations dominantes du monde, l'histoire aura tôt fait d'oublier les péripéties de notre survivance en Amérique du Nord. D'accord, nous ne sommes qu'un petit peuple. Mais on peut être iconoclaste sans pour autant cesser d'être modeste. Le refus du conformisme et l'indifférence aux jugements des nouveaux « docteurs de la loi » sont priés de se manifester, même en costumes débraillés.

Je me fous pas mal en effet des costumes intellectuels ou théoriques de rigueur au pouvoir ou à l'université. De toutes façons, ils changent aussi souvent que les modes vestimentaires. Il y en a à qui ne répugne pas la course aux certitudes absolues et qui, en six mois, peuvent sans sourciller passer de l'irréversibilité de l'indépendance à l'autonomisme raisonnable et modéré. Il y en a aussi qui, depuis la guerre, voyagent d'un marxisme-léninisme à l'autre, d'un révisionnisme à l'autre, d'une contradiction résolue à une contradiction non résolue et qui, en bout de chemin, finissent comme Enrico Berlinguer par aboutir au « compromis historique » et à la nécessité *absolue* d'une « politique de rigueur ». Je n'ai pas d'absolu à proposer.

À chaque avant-garde la liberté de ses certitudes ! Pour ma part, sachant que j'appartiens à un pays *incertain* et que je fais partie d'une nation qui s'est développée par inadvertance dans un processus d'expansion du capitalisme, j'avoue mon inquiétude, mon incertitude quant à l'avenir, mon insatisfaction, ma colère, mon besoin de vivre autrement et d'appartenir à une société différente.

J'avoue que le travail d'un écrivain engagé n'a pas le même poids que celui de la Commission trilatérale. Je refuse toutefois de consentir à la logique des multinationales, à cette rationnalité du « nouvel État industriel tricontinental » qui serait, à en croire les experts, l'essence même de la démocratie, du progrès et de la prospérité.

Je refuse également de consentir aux mirages, aux croyances toutes prêtes, aux justifications et aux raisons raisonnables de la démagogie, qu'elle se trouve au pouvoir ou dans l'opposition.

Au Québec, on a peine à concevoir que la liberté d'expression puisse conduire à réfuter des certitudes acquises et à ruiner de solides préjugés. On redoute les interrogations qui peuvent remettre en cause la vision de soi-même ou celle que l'on se fait du monde. On veut demeurer à l'abri des réponses apprises par cœur. Le droit à l'information se résume de plus en plus au « devoir d'assertion » réservé aux élites en place.

Aussi, affirme-t-on ces jours-ci que les Québécois ont du mal à digérer les changements survenus depuis 1960, que la bousculade a été trop vive, que les gens veulent maintenant retrouver les racines de leur sécurité et ne plus faire face à l'inconnu. Tout cela est affirmé d'en haut à coups redoublés d'analyses scientifiques et d'«impératifs catégoriques». (Le vieux Kant commande encore les esprits.)

À l'intention des moutons effarouchés, on ressuscite Maurice Duplessis et les principes de la politique du «gros bon sens». On organise à l'occasion du centenaire Lionel Groulx le marketing des «valeurs traditionnelles». On pond un livre vert sur les vertus de la vieille école. On rêve d'encadrer la culture et de ceinturer les consciences. «Au Québec, tout le monde est *attaché*.» Le P.Q. met en capsules publicitaires les 36 cordes sensibles du nationaliste moyen. Les multinationales retirent Claude Ryan du *Devoir* pour l'offrir au peuple en modèle de «sérieux». Le gouvernement *ménage* au maximum ses idées, ses envies et ses politiques. Lévesque s'écroule sous la peur de faire peur.

Virage à droite incontestable et extrêmement dangereux. Conservatisme aveugle dont la devise a toujours été «Québec à vendre».

On l'aura facilement constaté, c'est la rage au cœur et pratiquement «en désespoir de cause», comme disait Pierre Perreault en 1970, que je m'adresse à René Lévesque. Mais à travers lui, ce sont tous les Québécois que ce pamphlet concerne. Car ce sont eux, eux seuls, qui décideront dans les prochaines années, pour le meilleur ou pour le pire, de leur avenir collectif.

Et j'ai peur, je ne m'en cache pas. J'ai peur qu'ils optent éventuellement pour la citoyenneté américaine, même s'il peut paraître, à certaines manifestations culturelles, qu'ils soient «mieux armés pour bâtir en Amérique du Nord un pays différent», alors «qu'il est difficile d'apercevoir au nom de quelles valeurs les Canadiens (des autres provinces) s'opposeraient à l'inté-

gration de plus en plus poussée avec les États-Unis»
(Marcel Rioux).

C'est le choix du mode de production qui détermine les options politiques. Si on refuse de remettre en question le mode de production monopolistique, si, au contraire, on fait dépendre sa manière de vivre du capitalisme multinational, l'entreprise «nationale», ici comme ailleurs dans le monde, se videra progressivement de son identité propre et rendra l'âme avant même d'avoir perdu l'habitude de parler français ou «joual».

Après tout, on parle encore français en Louisiane malgré la défaite de 1760. Les États-Unis on inventé la formule du «melting pot» pour faire en sorte que «l'american way of life» puisse se parler dans toutes les langues du monde, y compris le russe et le chinois. La question est justement de savoir si nous préférons «l'american way of life» à l'effort, inédit en Amérique du Nord, de construire une société différente.

Le choix de «l'american way of life» implique la soumission des libertés collectives et individuelles aux ambitions hégémoniques du capitalisme de monopole avec comme conséquence logique le sacrifice de la démocratie. La revendication de ces libertés vitales, et donc le choix de la démocratie, suppose à l'inverse le refus du multinationalisme. *Il n'y a pas de troisième option.* Car dès que la liberté fait l'objet d'un compromis, elle cesse d'être elle-même.

Le gouvernement canadien, lui, a clairement choisi le multinationalisme. Le rapatriement du développement économique et du pouvoir politique ne l'intéresse pas du tout. Aujourd'hui, 80 pour 100 des 500 plus importantes compagnies canadiennes sont passées sous contrôle étranger. Et cette évolution ne cesse de s'accélérer. En 1977 seulement, le nombre d'entreprises vendues à des intérêts étrangers a fait un bond de 56 pour 100. Dans les secteurs à forte croissance, la mainmise étrangère atteint près de 100 pour 100 de l'ensemble; dans le secteur manufacturier traditionnel, elle est d'environ 60 pour 100, le reste demeurant aux mains d'entrepreneurs secondaires; dans le domaine des richesses naturelles, elle dépasse les deux tiers. La propriété de «l'entreprise canadienne» est une question qui n'intéresse plus personne au Canada anglais, si ce n'est un minuscule et isolé «Comité pour un Canada indépendant».

Cette indifférence généralisée se double d'un appui «populaire» à la G.R.C. et à l'armée dans leurs efforts de subversion. Le Canada anglais semble de plus en plus favorable à la restriction des libertés civiles qui s'opère par le biais de la lutte au séparatisme québécois.

L'hostilité à l'indépendantisme découle directement de la mainmise étrangère sur l'économie, l'appareil politique, l'armée et la police secrète. Comment d'ailleurs le pouvoir central pourrait-il accepter pour le Québec une souveraineté qu'il rejette pour l'ensemble canadien? Comment un régime politique étroitement intégré à la stratégie du multinationalisme trilatéral pourrait-il tolérer «l'hérésie» québécoise?

L'administration Trudeau a pratiquement achevé de vendre le pays aux Américains. Quant à l'actuelle administration québécoise, elle est partagée entre le nationalisme économique et les contraintes du continentalisme. Jouant sur les deux tableaux à la fois, elle hésite de plus en plus souvent à choisir. Elle piétine et visiblement tourne en rond. En somme, elle demeure prisonnière du «dilemme canadien». Comment en effet réaliser l'indépendance d'un pays dont les habitants ont choisi très majoritairement, dans les affaires, dans le travail, dans les loisirs, dans la pratique quotidienne et dans la culture, de s'américaniser? La réhabilitation inattendue du conservatisme par le gouvernement Lévesque ne conduira-t-elle pas le Parti québécois à devenir à son tour un simple groupe de pression, un « comité pour un Québec indépendant », aussi désespérément impuissant que celui de Toronto?

Chose certaine, les ministres des Finances du Canada et du Québec font l'unanimité chaque fois qu'il s'agit de souhaiter la bienvenue aux investissements américains. De la sorte, ils admettent clairement l'irréversibilité du marché commun nord-américain et préparent tous deux la voie à l'annexion politique éventuelle du Canada et du Québec aux États-Unis. MM. Chrétien et Parizeau, Québécois pure laine et adversaires irréconciliables au plan des *idées* constitutionnelles, s'entendent très bien sur l'essentiel: la mainmise américaine. Mainmise que tous deux assimilent au moteur indispensable du développement.

Au plus haut niveau politique donc, aussi bien à Québec qu'à Ottawa, un consensus existe. On pourrait le résumer ainsi: « Le Québec et le Canada sont *libres* de choisir l'absorption de leur économie et de leur territoire par les États-Unis ». Le fait est que cela a été presque textuellement écrit en 1972 par le trilatériste Mitchell Sharp dans un document où il exposait *au nom du gouvernement central* les diverses formes possibles d'intégration Canada-U.S.A.

Lorsque la *concertation* dans le domaine de la politique économique est aussi complète que celle qui existe entre Québec et Ottawa, on doit se demander ce qu'il peut rester de souverainisme dans le projet de « souveraineté-association » que le gouvernement Lévesque s'apprête à soumettre à la population. Sommes-nous les témoins ou/et les otages d'une compétition entre technocrates rivaux d'une même succursale? Ou bien les jouets d'une vaste fumisterie?

Dans un cas comme dans l'autre, je ne serais pas étonné d'entendre un jour nos élites politiques proposer, comme le Manitoba l'a fait récemment à propos de l'Agence d'examen de l'investissement étranger (A.E.I.E.): «La meilleure chose qu'on pourrait faire avec ce pays bilingue, multiculturel, divisé et ingouvernable, serait tout simplement de s'en défaire totalement.»

Bien sûr, même à l'âge du multinationalisme rien n'est encore perdu sans espoir. Mais rien non plus n'est encore gagné pour de bon. La victoire électorale du Parti québécois prouve que le pays n'est pas mort. Malheureusement, elle ne fournit pas la certitude que son avenir est assuré.

Le 15 novembre 1976 a été perçu par plusieurs d'entre nous comme une chance extraordinaire de transformer profondément le système social et de libérer l'action politique de l'obscurantisme tranquille. Dix-huit mois plus tard, on assiste au retour en force de la droite; et l'aile progressiste du P.Q. choisit ou bien de taire ses intentions ou bien de les exprimer en termes si vagues que cela revient au même.

Même si quelques-uns se préparent à bâtir une alternative de gauche au Parti québécois, ce qui est loin d'apparaître clairement, le présent virage à droite risque de coûter cher à tout le monde. Il y a une chose que l'on semble oublier, au sein de la population comme au pouvoir, c'est que l'administration américaine est de plus en plus impatiente d'en finir avec le nationalisme québécois, qu'il soit petit-bourgeois, socialiste ou libéral. Depuis 10 ans, elle a définitivement réglé son compte au nationalisme *canadian* sans que les citoyens, y compris ceux du Québec, n'y trouvent rien

à redire. Cela, semble-t-il, *allait de soi.* C'est aujour-
d'hui au tour du Québec de se voir commander silence
et obéissance, travail et fidélité à l'empire.

L'échéance fixée par Washington est proche et, à
ses yeux, *décisive.* Ce n'est pas pour le plaisir de la
polémique que la Commission trilatérale qui trône à
la Maison-Blanche a coopté l'un de ses membres,
Claude Castonguay, à la tête du Comité des «non»,
mieux connu sous le nom de Québec-Canada.

La bataille du référendum, si elle a vraiment lieu,
sera beaucoup plus dure que le Parti québécois ne
l'avait envisagé au départ. Quelle que soit la question
posée, l'armée des «non» est d'ores et déjà en état
d'alerte «rouge».

Le P.Q., hélas, donne des signes sérieux de panique. La retraite est amorcée avant même que le combat
ne soit livré. Est-ce un drapeau blanc que René Lévesque ira déployer prochainement aux États-Unis ou bien
cherchera-t-il à y négocier les modalités d'une «paix
réaliste»?

«L'intérêt mutuel des parties en présence», selon
l'expression consacrée, se confondra-t-il une fois de
plus avec la raison du plus fort?

Le retour de Duplessis à l'écran de Radio-Canada
préfigure-t-il une *grande noirceur?*

En tous cas, le brouillard s'épaissit.

Lettre 1

LE CHOIX DES EXPERTS

Monsieur le premier ministre, que reste-t-il en 1978 de « l'option Québec » ? Que signifie la souveraineté-association que vous préconisez et que personne encore — même pas le super-expert Claude Morin — n'a réussi à définir ? Comment réconcilier votre « fierté d'être Québécois » du 15 novembre 1976 avec l'étiquette d'« enfants gâtés » que vous accolez maintenant aux travailleurs syndiqués ? Qu'est-ce qui vous a incité à retraiter sur à peu près tous les fronts où vous aviez promis d'agir en prenant le pouvoir ?

Votre discours du 21 février à l'Assemblée nationale, qui inaugurait la présente session parlementaire, a été qualifié par tous les observateurs d'énoncé insignifiant d'intentions floues. Rien là en effet qui puisse stimuler l'audace. À peine était-il fait mention que votre parti était *encore* indépendantiste, comme si vous étiez devenu honteux de l'idée qui vous a porté au pouvoir et qui, depuis 1960, a résumé, rassemblé, soutenu le minimum d'espoir dont un peuple a besoin pour vivre dignement et développer les ressources de sa liberté.

Qu'est-ce qui fait peur à René Lévesque au point de condamner son gouvernement à une modération qui, dans les circonstances, équivaut à de la paralysie ? De qui ou de quoi êtes-vous prisonniers? D'une situation ingouvernable, comme dirait la Commission trilatérale? D'experts en «fonction publique» se neutralisant les uns les autres par esprit de compétition? De menaces de chantage et de représailles? De la stratégie pré-référendaire et secrète concoctée par le baron Claude Morin? De l'austérité budgétaire décrétée par l'apprenti-banquier Jacques Parizeau? De combines électoralistes conçues pour courtiser la clientèle conservatrice de l'Union nationale? De tout cela à la fois et d'autres choses en plus?

Il est bien difficile ces temps-ci de suivre la logique de votre cheminement. À moins de prendre pour acquis, comme d'aucuns le font, qu'avant même la fondation du Parti québécois vous rêviez de répéter à n'importe quel prix «le coup de Duplessis». Ce qui n'est pas mon cas. J'ai déjà eu l'occasion de causer quelquefois avec vous et d'apprécier votre profonde sensibilité au «défi québécois». Mais il me semble que cette sensibilité est aussi faite de peur et de fatalisme. Elle comporte également, à n'en pas douter, une forte dose d'américanophilie qui vous empêche de percevoir la notion plutôt autoritaire et brutale que les grands seigneurs de l'entreprise et de la guerre se font de la démocratie.

L'autodidacte versus La Patente

Mais il y a aussi autre chose. Premier chef indépendantiste de gouvernement, vous êtes également, monsieur Lévesque, un *autodidacte*. C'est un fait assez rare en Occident et, pour cette raison, je vous croyais plus capable que d'autres de volonté politique et de courage. Ce serait tellement merveilleux si la politique cessait enfin d'être l'affaire exclusive des «professionnels », si les citoyens ne donnaient plus bêtement le pouvoir de légiférer à des technocrates que leurs diplômes autorisent à s'investir eux-mêmes de l'autorité de décider des besoins de chacun et de tous (au nom de la « science ») et qui se sont emparés, d'abord à l'université puis au sein de la fonction publique, du monopole des moyens légaux et fiscaux de satisfaire (?) ces besoins dans *l'intérêt public*.

Le totalitarisme des experts, qu'ils soient de gauche ou de droite, est tout aussi inacceptable aujourd'hui que l'Inquisition de jadis. Galilée, de nos jours, serait condamné à mort ou enfermé dans un asile psychiatrique s'il osait prétendre que la dissidence ouverte est l'unique façon de mettre fin à l'obscurantisme des pouvoirs établis. On dirait de lui qu'il est un « agent du terrorisme international » (voir les dossiers « top secret » de la G.R.C.) ou encore qu'il « empoisonne la jeunesse ». Que, par conséquent, il doit être fiché sur la liste des « suspects » et condamné, au minimum, à une surveillance policière de tous les instants. On pourrait même envisager qu'il soit « suicidé » dans une prison d'État ou dans un asile. Qu'on ne pense pas seulement aux dissidents de l'U.R.S.S., mais aussi à William Reich, à Sacco et Vanzetti, à Fred Rose, à Émile Nelligan et à Claude Gauvreau. Que le châtiment s'exerce par le meurtre (Louis Riel), l'exil (Paul-Émile Borduas), le suicide (Hubert Aquin), l'enfermement (Nelligan et Gauvreau), la prison (Fred Rose, les felquistes, les dirigeants syndicaux) ou la censure (de *La Scouine* à la Commission Keable) : nous le connaissons bien au Québec même.

L'État terroriste, sous Pinochet ou Trudeau, sous Duplessis ou Batista, sous Carter ou Brejnev, vise au contrôle, de l'école à l'assurance (sécurité) sociale, des comportements, des idées, de la liberté. C'est pourquoi il a partout tendance à faire passer la création, l'innovation, la remise en question, la colère, l'indignation et le simple refus du conformisme dans le camp «dangereux» de la marginalité, de l'illégalité et du crime. À l'Ouest comme à l'Est, l'homme libre est l'ennemi principal, celui qu'il faut assassiner à défaut d'avoir pu le domestiquer.

Le code pénal *punit* avec la même ferveur les dissidents, les bandits, les fous, les drogués, les vagabonds et les pirates de l'air. Par contre, il légalise la course aux armements, les génocides (chez nous celui des Amérindiens), la bombe atomique, le gaspillage des ressources fondamentales, la destruction de l'écosystème, le pillage du Tiers-Monde, les guerres, le lavage des cerveaux, le contrôle policier de la vie privée et sociale, l'abrutissement des enfants, les maladies industrielles, les impôts obligatoires, le marketing électoral, les monopoles de presse, la censure, les cartels professionnels et le pourrissement de la planète.

L'aliénation, l'oppression, la destruction sont légales. Même une catastrophe nucléaire, bien qu'immorale et sans doute fatale, serait parfaitement légale. Ce qui ne peut l'être cependant, c'est la «prétention» d'individus ou de groupes de se croire capables de modeler eux-mêmes leurs propres désirs, leurs propres ambitions, leurs choix et leurs actes.

Pour être dans la légalité, quelqu'un doit au préalable y être *autorisé*.

C'est cela qu'habituellement un autodidacte conteste. Au départ en effet il n'a pas cru indispensable d'obtenir d'en haut l'autorisation de devenir poète, romancier, journaliste, architecte ou cultivateur. Dès lors, il refusait de se plier, comme l'éducation officielle l'y invitait, au conformisme de masse et d'y assujettir son existence. Il misait sur la liberté, en commençant d'abord par la sienne. Il n'avait pas peur d'être *différent*. Il se flattait même de pouvoir paraître comme un « barbare » aux yeux des bien-pensants et des arbitres patentés du « libre exercice de la démocratie », lequel se confond chez eux avec la compétence professionnelle.

Il ne voyait pas pourquoi il aurait été contraint, au nom d'un quelconque système, d'accumuler des besoins sur ordonnance. Il ne demandait qu'à satisfaire les siens, qui préexistaient à l'éducateur de service, au médecin, à l'avocat, au policier et au politicien. Pourquoi l'aurait-on forcé dès l'enfance à être *dressé* selon des convenances arbitrairement établies ? Dressé, respectable, autrement dit « responsable » et légalement catalogué dans la masse des « bons diables » ou dans le clan élitiste des « experts », il n'aurait jamais pu devenir Réjean Ducharme, Ernesto « Che » Guevara, Arthur Rimbaud ou Albert Einstein.

Tel est l'autodidacte de toutes les époques. Celui-ci est souvent le seul qui ose aujourd'hui refuser l'embrigadement généralisé des désirs (de la maternelle à la vieillesse), la standardisation des rapports sociaux et des modes de pensée. C'est pourquoi il devrait être plus apte que le fonctionnaire à l'invention, à l'imagination et au courage politique. C'est pourtant le fonctionnaire qui domine l'appareil politique... et même le ministère dit des « affaires » culturelles.

Malgré son potentiel énorme de créativité, il arrive parfois que l'autodidacte choisit de « percer » dans la bonne société et se laisse aller à échanger ses désirs les plus profonds pour une respectabilité autorisée. À jouer le jeu de la respectabilité, il risque même de devenir plus conservateur que les éducateurs de son enfance. Il se fait plus catholique que le pape. Il mystifie la « productivité » avec une ferveur plus grande encore que celle d'un Rockefeller. Il veut prouver aux « gens bien » que son audace ou sa révolte de jadis a été bel et bien refoulée dans « l'intérêt général ». Il se soumet, il se conforme, il polit ses manières. Enfin, dit-on, il est devenu *raisonnable*.

Monsieur Lévesque, je crois sincèrement que vous êtes tombé dans ce piège et que, pour cette raison, vous vous condamnez (à moins d'un revirement radical et souhaitable) à sacrifier à la raison d'État (celle des plus forts) non seulement vos aspirations profondes — que vous qualifiez maintenant volontiers d'« illusions » — mais encore la *raison d'être* de ces aspirations qui, il n'y a pas si longtemps, ne formaient qu'une seule et même réalité avec l'exercice brouillon et fécond que l'on nomme liberté.

Vécu et statistiques

Il peu paraître étrange de rappeler, comme je le fais, à un chef de gouvernement qu'il est aussi un homme, d'abord et avant tout un homme. Mais je tenais à partir de l'essentiel, de ce que nous sommes « tout un chacun ».

Raoul Duguay a raison de rappeler que « le plus grand pays — et le seul viable — est l'homme lui-même ». C'est la souveraineté de l'homme qui doit inspirer le « Vive le Québec libre » des vingt dernières années.

Si l'homme est assimilé à un « chiqueux de guenilles », comme vous dites, chaque fois qu'il exprime un désaccord, une critique ou simplement une vraie question, alors aussi bien dire que le pays lui-même est infantile et qu'il doit recevoir une bonne fessée lorsqu'il répugne à l'embrigadement. Trudeau nous a déjà servi ce type de leçon « magistrale » en octobre 1970. (N'étant pas autodidacte, Pierre Trudeau n'est pas très fort en démocratie.)

Se pourrait-il, monsieur le premier ministre, que vous ressentiez un complexe d'infériorité vis-à-vis des « experts » qui, après avoir investi le Parti québécois, commandent aujourd'hui la stratégie ambiguë de votre gouvernement ?

Loin d'être battu en brèche depuis novembre 1976, le mythe de l'expert omniscient domine plus que jamais l'action gouvernementale. Ce mythe repose sur un dangereux sophisme : « seuls les experts sont qualifiés pour prendre les bonnes décisions, car seuls les experts *savent.* » La « science » politique, couplée à la rationalité administrative, a engendré la science du pouvoir qui elle-même renvoie au pouvoir de la science, au culte de la science, au *scientisme,* nouvelle religion qui, par un processus d'annexion impérialiste, tire son prestige et sa force de persuasion des « conquêtes » de la science (depuis la découverte de l'atome jusqu'à la marche dans l'espace). La science a ainsi acquis au XXe siècle le statut de vérité révélée.

L'expert profite de cette mystique pour imposer au grand public la magie noire de son *indispensable* autorité. Peu importe que l'on comprenne plus ou moins bien la nature et les raisons de cette autorité donnée. Le public est invité à s'y fier et, pire encore, à y abandonner la conduite de ses affaires. « Tout le monde n'est pas expert, dira un Jacques Parizeau, donc tout le monde ne peut préparer le budget et diriger les dépenses publiques. Si tout le monde participait à la planification et à l'orientation des « finances », ce serait l'anarchie, le désordre, etc. » Voyez-vous cela, vous, un gouvernement par le peuple et pour le peuple ? Écoutez un peu : il faut être raisonnable ! Et comme dira un Claude Morin: « Nous, on n'est pas tombés sur la tête. *On sait très bien* ce qu'on doit faire. Nous, on est *responsables*. » Sous-entendu: les autres ne le sont pas et ne le seront jamais, parce que, eux, ne savent pas très bien, comme nous, ce qu'il convient de faire. Ainsi, pourquoi des Québécois se mettent-ils à contester l'O.T.A.N., N.O.R.A.D., les États-Unis, le système de *sécurité* en place en Occident? « Manifester une attitude antiaméricaine, c'est de l'infantilisme, de l'irresponsabilité, de l'ignorance crasse. » Conclusion: pourquoi, au fond, les indépendantistes persistent-ils à demeurer indépendantistes? Ne peuvent-ils faire la différence entre un parti et un gouvernement?

Le *moi-je-sais-ce-dont-je-parle* impose donc le silence aux non-experts, c'est-à-dire à l'immense majorité des hommes. Pour n'importe quelle question appartenant à un secteur particulier des activités politiques et sociales, seule l'opinion des experts dudit domaine est pertinente; et si plusieurs secteurs sont en même temps concernés, seule l'opinion collective des experts de tous ces secteurs est considérée comme rationnelle. Un conseil des ministres reproduit ainsi, sous la gouverne des technocrates, le fonctionnement autoritaire des académies scientifiques et des états-majors militaires.

Ainsi, sans qu'aucun débat démocratique n'ait eu lieu sur le sujet, le ministre des Affaires intergouvernementales du Québec, Claude Morin, déclarait péremptoirement le 7 mars dernier que notre appartenance (forcée) au système atlantique de « sécurité collective » en interdisait toute contestation. Un peu comme si le fait d'être marié interdisait à jamais le divorce ou la remise en question du mariage! Se rendait-il compte, l'expert en politique internationale, qu'affirmer ainsi l'impossibilité de contester l'O.T.A.N.,

N.O.R.A.D., les États-Unis et l'establishment euro-américano-nippon qui préside aux destinées de l'Occident, équivalait à admettre comme un fait accompli et irréversible l'impossibilité même de l'indépendance du Québec?

Les généraux du Pentagone n'ont jamais dit autre chose et le discours que Claude Morin a livré sur « la politique extérieure » aurait pu être rédigé par n'importe quel militaire, chef d'entreprise ou politicien américain.

Alors, à quel parti appartient donc monsieur Morin? L'expert se situe au-dessus des partis et à côté de la plèbe. Il ne dialogue qu'avec les personnes *autorisées*. Il n'est à son aise qu'au niveau élevé des états-majors militaires, financiers et politiques. Pour Claude Morin, les colonels d'Ottawa ne méritent même pas une solide discussion. Tout au plus un pied de nez. Lui. il vise haut: Washington, le pinacle du pouvoir. La grenouille face au bœuf.

En lisant ceci, il sera encore plus persuadé que jamais d'avoir raison. Il redira sa litanie personnelle de vérités révélées. Il sait que le Parti québécois, médusé par ses experts, obéira et suivra. Quant aux autres, s'ils rejettent la foi et ne font pas confiance au guide, ils sont condamnés à l'idéalisme ou à l'agitation. De toutes façons, les non-experts sont par nature irresponsables!

En somme l'expert ne gouverne pas. Il impose d'autorité le point de vue de « la science du pouvoir ». Nouveau Moïse, il définit les commandements suprêmes qui doivent *soumettre* toute l'existence à l'Alliance et à la Loi qui en découle. Le peuple juif, il y a 3 000 ans, exprimait par l'Alliance sa relation avec le Seigneur. En 1978, « l'alliance atlantique » joue un rôle identique dans le domaine social, économique, politique et militaire. On devient américain comme on entre en religion, en faisant le vœu d'obéissance.

L'expert interprète la loi du plus fort. Il ne la change pas. Il ne souhaite d'ailleurs pas un tel changement, puisque c'est la loi qui l'a fait expert. « Nous, on sait très bien… »

L'expert n'assume donc personnellement que ce qu'il peut identifier clairement à la Loi et à la Raison (avec des majuscules). Tout le reste est rejeté automatiquement comme étant de l'ordre de *l'émotion,* de l'irrationnel, de l'instinct, de l'ignorance, du désordre, de l'anarchie et du *trouble.* Un expert ne doit jamais être « troublé ». Il ne doit pas douter de son autorité et de sa science. Il ne doit en aucune circonstance consentir au désordre. Il est fondamentalement gardien de la paix et de l'ordre. Il est essentiellement conservateur.

Enfin, l'expert affectionne le secret. Si tout le monde « apprend » tout, si tout le monde se met à savoir ce qui se passe, que deviendra la science ? Que restera-t-il du pouvoir qu'elle confère ? Qu'arrivera-t-il au pouvoir lui-même ?

Ainsi, n'insistez pas trop souvent auprès de Claude Morin pour connaître les intentions stratégiques du gouvernement. N'ayez surtout pas l'impertinence d'exiger des précisions sur les diverses étapes de la campagne référendaire et encore moins d'en questionner la véritable finalité. *En temps et lieu,* on dira au peuple ce qu'on attend de lui. On n'a pas de temps à perdre à écouter ce que le peuple attend du gouvernement. « Après tout, on a été élu pour décider. Si *le monde* veut gouverner, qu'il se fasse élire ! » Oui mais… il n'y a que 110 places à l'Assemblée nationale et une vingtaine seulement au conseil des ministres. *«Le mon-*

de oublie peut-être qu'il y a aussi des dizaines de milliers de fonctionnaires. Qu'il entre dans la fonction publique s'il ne peut se faire élire!» Oui mais... toutes les places sont déjà occupées. «Que voulez-vous qu'on y fasse? La machine existe pour fonctionner. Arrêtez donc de vous poser des questions: la machine s'occupe de tout. Et puis, n'oubliez pas ceci: avec la machine, c'est la paix et l'ordre garantis. N'est-ce pas le meilleur des mondes que de vivre en paix? Soyez sourds aux idées libertaires, vous n'en serez que plus heureux et plus productifs. Vous ne voulez tout de même pas qu'on abolisse l'État. Si l'État n'existait pas où irions-nous? Que deviendrait le troupeau sans ses bergers? Que deviendrait la terre sans ses propriétaires? Que deviendrait le monde s'il était laissé à lui-même? À chacun son métier et...»

Nous savions depuis un certain temps déjà que le gouvernement Trudeau ne confiait qu'à des experts *sûrs* le mandat d'analyser les situations et de faire des «recommandations» au Parlement. Le court terme, l'opportunisme et la démagogie dominent à Ottawa. À défaut de pays, il y a là au moins «un parti fort».

On dirait qu'à Québec les experts ont voulu répéter l'exploit du parti fédéral. Plutôt qu'un pays, c'est un parti fort qu'ils ont rêvé de construire. Car avec un parti fort, l'opposition devient vite inefficace, sinon inopérante, et les chefs ont de meilleures chances d'imposer leur science infuse. Une science infuse qui, en réalité, leur est dictée par les experts, technocrates et manipulateurs savants de l'appareil politique aussi bien que des «masses ignorantes».

Le couple Morin-Parizeau, même s'il est parfois secoué par des conflits de personnalité, a réussi à imprimer au gouvernement une démarche martiale, autoritaire et conservatrice, qui est en voie d'étouffer complètement l'espoir de renouveau issu de la victoire électorale du Parti québécois. Ces «gros canons du P.Q.» pourraient servir les troupes de choc d'un Claude Ryan sans avoir à modifier d'un iota leur *programme* politique. L'ordinateur a remplacé l'imagination. La science et la technique du pouvoir ont transformé la démocratie en politique-fiction.

Pourtant, monsieur le premier ministre, jamais un gouvernement québécois n'a autant que le vôtre *parlé* de démocratie, de participation, de décentralisation, d'ouverture, voire même, à certains moments, d'auto-gestion. On se rend compte toutefois que, sous votre administration comme sous les administrations précé-dentes, la démocratie se réduit pour les citoyens à voter — un jour d'avril ou de novembre — pour ou contre un ensemble de décisions politiques auxquelles ils n'ont guère eu l'occasion de participer et, dans la majorité des cas, qu'ils n'ont pas eu non plus l'oppor-tunité de véritablement comprendre.

Le message des experts à la plèbe est toujours le même: la politique est une «science» ou une «affaire» trop complexe pour être laissée entre les mains des «non-instruits» (comme disait un jour Jean Lesage).

Les gouvernements changent de députés mais les experts perpétuent leur espèce d'un régime à l'autre. Leurs «services» sont devenus indispensables. On a vu Claude Morin «servir» Jean Lesage, Daniel John-son, Jean-Jacques Bertrand, Robert Bourassa et, fina-lement, René Lévesque. Près de 20 ans de *continuité*. Bien sûr, en 1978, il est l'expert tout désigné en matiè-res de relations «intergouvernementales». Le bonze par excellence et le négociateur expérimenté pour qui le compromis est aussi naturel que l'air et l'eau. Quant à vous, monsieur Lévesque, vous êtes comme Lesage et Johnson, un *impulsif*. Vous devez être solidement encadré par l'expert. Le même scénario se répète aux Finances et au secrétariat exécutif. Comment n'avez-vous pas remarqué, monsieur le premier ministre, que la conversion de Claude Morin au Parti québécois lui avait été dictée par la décision de Robert Bourassa de diriger lui-même «les affaires intergouvernementales»? Non, jamais Claude Morin n'a été indépendantiste et jamais non plus il ne le deviendra. Combien y en a-t-il au gouvernement d'opportunistes à la recherche d'un *job* stable?

Faut-il s'étonner que le vécu québécois se résume d'en haut à des statistiques, que le conflit Québec-Ottawa prenne la forme d'une guerre des chiffres et que l'action politique ne s'évalue plus qu'en termes de sondages «scientifiques»? De plus en plus on multiplie les «enquêtes» à buts manipulatoires, afin de faire cautionner par l'opinion publique les décisions unilatérales des experts. Peu à peu, on exprime en langage purement mathématique et statistique l'ensemble des relations humaines, des expériences, des événements, des forces sociales, politiques et culturelles. Sous prétexte de mesurer la productivité et la rentabilité du moindre secteur d'activité sociale, on court le risque, à la limite, de concevoir le monde entier comme une simple structure particulière du calcul mathématique.

Pendant que les experts font de l'arithmétique, la masse des citoyens perd de vue toute notion de but, de finalité. Comme on ne sollicite guère son «libre arbitre», elle finit par croire qu'il n'existe pas. Aux mathématiques des experts en place correspond le fatalisme des non-calculateurs.

Voilà bien ce que recherchent les membres de la Commission trilatérale pour qui la démocratie fonctionnelle «exige une certaine mesure d'apathie et de non-participation de la part de certains groupes et individus». Ces «groupes et individus», le rapport Huntington les identifie clairement: ce sont les journalistes, les ouvriers, les minorités ethniques, les pauvres, les enseignants, les intellectuels; bref, tous ceux qui ne savent pas comment «brasser des affaires et des mathématiques» et qui surtout ne comprennent rien au rôle *indiscutable* que jouent les organismes financiers internationaux, les alliances militaires, le système bancaire occidental et le capitalisme de monopole dans le progrès de l'humanité.

En un sens, les longs conflits qui ont paralysé au Québec trois grands quotidiens (*Le Soleil, La Presse* et *Montréal-Matin*) servaient mieux la démocratie des experts que la liberté de presse. C'est sans doute pourquoi, monsieur Lévesque, votre gouvernement est-il demeuré étrangement silencieux à propos de ce dossier «explosif». Nous savions déjà, par l'expérience désespérante du *Jour,* que vous n'étiez pas un modèle de tolérance lorsque ces «maudits journalistes» perturbaient l'harmonie de commande qui devait, selon vous, présider au débat sur l'avenir du Québec, harmonie factice qui impliquait entre autres que les pions du *Jour* mettent de côté l'examen de certaines tactiques du Parti québécois (comme celles ayant trait au parachutage de candidats douteux, au grenouillage en coulisses avec les dinosaures de l'Union nationale, à la révision conservatrice du programme politique ou encore aux sollicitations financières de «dernière heure»).

Parce qu'il devenait critique, *Le Jour* (le quotidien) ne connaissait plus, selon Jacques Parizeau et Yves Michaud, un fonctionnement «normal». Vous avez donc décidé avec eux de faire disparaître le journal, le seul en Amérique du Nord à avoir défendu l'idéal indépendantiste. Plutôt que de voir *l'unanimité* discutée, vous avez choisi d'empêcher la tenue d'un débat démocratique, d'un débat ouvert et franc qui s'imposait d'autant plus que la machine péquiste se rapprochait du pouvoir.

Paul Desmarais n'a jamais osé (jusqu'à maintenant du moins) aller aussi loin dans la censure. Mais peut-être que les hommes d'affaires qui contrôlent les journaux du Québec finiront par imiter votre «exemple» et décideront à leur tour de fermer les quotidiens qui refusent d'être de «bons joueurs». N'est-ce pas là en effet la méthode la plus efficace de tuer l'opposition? Une méthode d'*expert* sans doute. Car, rappelez-vous: au *Jour,* qui se disait toujours «le mieux placé» pour juger de la qualité et des besoins de l'information «libre»? Le conseil d'administration. Et qui présidait ce conseil d'administration? L'actuel super-ministre des Finances.

Lorsqu'il présida au sabordage du Jour, monsieur Parizeau emprunta à Pierre Trudeau un discours digne des «mesures de guerre». Il accusa les journalistes d'avoir saboté les efforts du Parti québécois «en prenant leurs distances» vis-à-vis de son leadership et de ses mandarins. «Ils voulaient transformer *Le Jour,* hurla-t-il, en un instrument du parti ouvrier»! «On mettait l'accent sur une orientation qui flattait certains des éléments les plus radicaux ou les plus marginaux de la société.» Cette «atteinte au sens commun», selon l'actuel ministre, exigeait «un coup de force». Et Jacques Parizeau de faire un parallèle entre le sabordage du *Jour* et celui du F.R.A.P. «Les journalistes, comme les socialistes du F.R.A.P., en étaient rendus à vouloir franchir une autre étape vers le grand soir de la révolution.» On se serait cru en octobre 1970. D'où, concluait-il, la nécessité de barrer franchement la route aux menées *subversives* des journalistes. (*La*

Presse, 28 août 1976.) C'est Paul Desmarais qui devait être fier de lire dans son propre journal — farouchement anti-indépendantiste — une aussi éloquente défense du droit à l'information et de la liberté de presse! Pas caporal du tout, ce Parizeau: il n'y a que les Anglais pour inventer des choses pareilles.

L'Opération Unanimité qui orchestra la disparition du *Jour* était si bien menée que même Gérald Godin et Gaston Miron, victimes pourtant de la répression de 1970, trouvèrent de bonnes raisons d'accuser les journalistes de «mauvaise foi». Hélas, les journalistes n'ont pas pour vocation d'être des croyants ou des croisés. Ce ne sont ni des intellectuels «organiques» ou patentés, ni des censeurs. À moins de perdre toute raison d'être, ils se doivent d'appartenir à la race des guetteurs et des éveilleurs. Le Parti québécois aurait préféré une nouvelle race d'éteignoirs qui aurait été embrigadée dans la campagne électorale au même titre que les travailleurs de scrutins.

Si j'insiste un peu sur l'aventure du *Jour*, monsieur Lévesque, c'est qu'elle me semble résumer à la fois le goût de la manipulation et celui de l'improvisation qui caractérisent l'action de votre gouvernement. Cette affirmation vous apparaîtra très dure et sans doute inspirée par le communisme international ou ce qui en tient lieu en certains milieux péquistes, la mafia libérale. Soyez rassuré, je suis assez grand pour penser tout seul et tout haut. Revenus de l'euphorie du 15 novembre 1976, la majorité des journalistes retrouvent aussi leur esprit critique. Au même moment, cependant, *Le Soleil, La Presse* et *Montréal-Matin* sont fermés et Radio-Québec décrète un lock-out. Entre-temps, Radio-Canada est engagée plus que jamais dans la propagande des Trudeau et Ryan. Nous sommes condamnés à lire *Le Devoir* et la presse anglophone, ce qui ne mène pas très loin. Qu'importe, direz-vous, les journalistes d'ici ne comprennent rien à la pratique du pouvoir et aux contraintes de l'économie. C'est sans doute pourquoi, de René Lévesque à Claude Ryan, plusieurs d'entre eux ont fait le saut en politique!

Votre gouvernement a souvent parlé du droit du public à l'information et s'est même vanté d'inaugurer au Québec une action politique « ouverte », sans cachotteries ni combines, sans coups de force ni autoritarisme. *Le Jour* avait été baptisé sur les mêmes principes théoriques, sur les mêmes engagements « démocratiques ». Vous l'avez tué avant qu'il n'atteigne l'âge de raison. Car « il y a des limites à l'expansion de la démocratie », comme le souligne l'idéologie trilatéraliste. Le paternalisme est l'antichambre du totalitarisme. On commence par qualifier les citoyens d'« enfants gâtés » et on finit par les traiter d'« irresponsables ». À ce stade-là, l'autorité doit s'imposer puisqu'elle seule est responsable. Elle est responsable parce qu'elle est en autorité. Elle est en autorité parce qu'elle est autorisée à y être par le droit du plus fort à se trouver là où il se trouve. Pourquoi les journalistes et les intellectuels en général ne comprennent-ils pas la simplicité du processus? Pourquoi voudraient-ils contester ce que la nature elle-même a bâti, l'instinct de domination? Décidément, direz-vous, à quoi bon l'information?

Cette question est l'une des plus graves qui se posent aujourd'hui à la société québécoise et, à ce qu'il semble, personne ne s'en soucie à l'Assemblée nationale. On préfère y discuter plutôt des profits éventuels des courtiers d'assurances ou de la rentabilité potentielle du rapatriement de la fibre d'amiante.

Le droit du public à l'information est indissociable de son droit à la libre décision et, par conséquent, à la dissidence et à l'opposition. Or, si les décisions demeurent la propriété sacrée des experts, il est inévitable qu'on en vienne tôt ou tard à priver le public du droit à l'information. Cette évolution, déjà évidente au pays, conduit aux régimes musclés d'Amérique latine que les États-Unis ont contribué massivement (financièrement et militairement) à imposer aux masses « sous-développées » de ce continent.

Pour les Américains, les Québécois font eux aussi partie de ces peuples « inférieurs » qui n'ont pas à se mêler des affaires mondiales et qui doivent plutôt bénir le ciel de vivre dans la périphérie immédiate de la richesse et de la puissance.

Une société stable : tel est l'objectif américain qui sert de titre au programme politique de Claude Ryan. Tel est aussi, paradoxalement, le mot d'ordre du dernier discours inaugural que vous avez prononcé à l'Assemblée nationale. Tel est enfin le leitmotiv des Rodrigue Biron, Pierre Trudeau et Joe Clark. Où est donc l'opposition, sinon dans la rue ?

Il paraît clair que les experts de la politique jouent unanimement le jeu des classes dominantes et que c'est d'ailleurs pour cette raison qu'ils ont été formés à la « bonne école ».

Pauvre citoyen qui n'a pas eu le bonheur d'aller à l'université, de diriger une entreprise ou/et de devenir haut fonctionnaire ! Autrefois, on lui demandait d'écouter les curés. Aujourd'hui, on lui commande d'obéir aux experts, à ceux-là seuls qui *savent*. Claude Morin a succédé au cardinal Villeneuve.

Les paroissiens de Claude Morin

La paroisse québécoise a été réformée mais ses chefs sont tout aussi intolérants dans leur pratique journalière que n'importe quel chanoine de l'ancien régime.

Les technocrates, grands-prêtres du fonctionnalisme et de l'efficacité, font tout comme les cardinaux de jadis partie intégrante des classes dominantes, auxquelles ils s'identifient intimement et à qui d'ailleurs ils doivent pour la plupart leur compétence diplômée, leur prestige et leur position hiérarchique.

Mais il arrive malgré tout que les experts-politiciens se trompent. Ainsi en est-il des experts en droit constitutionnel qui, depuis 20 ans, ne peuvent réussir à dégager un consensus en ce domaine. Ce que l'on appelle « le dilemme canadien » ou encore « la question du Québec » n'est, en réalité, que la manifestation d'une absence quasi-totale de pouvoir politique autonome tant à Québec qu'à Ottawa. Le pouvoir industriel, financier, technologique et militaire se trouvant aux États-Unis, les tensions sociales créées ici par l'industrialisation et l'urbanisation ne peuvent être résolues par des changements constitutionnels. En effet, toute constitution, qu'elle soit québécoise ou pan-canadienne, ne saurait compenser l'absence de contrôle sur l'économie. Et cela d'autant plus qu'aucune élite ne veut au Canada et au Québec modifier les règles du jeu imposées par le multinationalisme.

La souveraineté-association par étapes, que Claude Morin tente de planifier sur papier, n'est que l'expression d'une *compétition* entre élites francophones et anglophones. Une compétition pour le contrôle des « emplois supérieurs » dans l'entreprise étrangère et pour l'illusion d'appartenir au monde riche.

Les paroissiens-électeurs sont invités à soutenir de leur « nationalisme » cette compétition, afin que la course au pouvoir des grands commis apparaisse comme un projet national. Les non-technocrates (il y en a quand même au P.Q.) revendiquent plutôt un nouveau projet de société. Mais les experts les considèrent comme des utopistes. Ces derniers, une fois passé le scrutin, sont écartés des «comités restreints» où sont définies les priorités gouvernementales. En réserve quand même pour les prochaines manœuvres référendaires et électorales, où on leur demandera de «réchauffer» le peuple, ils demeurent à l'écart des grandes décisions.

Ainsi, le Parti québécois se trouve-t-il divisé, comme l'Église, en trois «classes sociales». Au sommet, le chef de gouvernement et son entourage immédiat: les cardinaux Claude Morin, Jacques Parizeau, Denis de Belleval, Yves Bérubé, Jacques-Yvan Morin; le chef de cabinet Jean-Roch Boivin; une poignée de mandarins choisis par l'organisation péquiste. Immédiatement en dessous du cénacle, une vingtaine de ministres-évêques et quarante députés-curés, «pognés» par la solidarité ministérielle et la religion orthodoxe. Au bas de l'échelle, l'ensemble des militants dont le rôle est de diffuser les messages gouvernementaux de porte en porte, un peu à la manière des anciens croisés de l'action catholique. On décèle bien quelques rebelles dans les rangs, mais leur voix se perd dans le concert des appels au ralliement général.

Un fort vent de conservatisme souffle actuellement sur les troupes dociles. Les experts ont en effet décidé que ce vent-là est le seul qui soit susceptible de gonfler la voile péquiste et de conduire la barque jusqu'au référendum.

Selon lesdits experts en «opinion publique», l'indépendantisme est contraint par le peuple lui-même à adopter une attitude défensive, peureuse et droitière. Sans quoi, le P.Q. se condamnerait à une défaite certaine.

Curieuse logique qui s'empresse soudain de récupérer les langages obscurantistes de Maurice Duplessis, de Lionel Groulx et du «nationaliste» Rodrigue Biron. Cette logique repose sur l'affirmation péremptoire que les Québécois sont conservateurs de naissance et que ce conservatisme individuel et collectif est aussi «indélébile» que le sacrement du baptême. Comment alors donner une traduction politique et institutionnelle au projet indépendantiste qui, par essence, s'oppose au conservatisme, au *statu quo* et à la résignation? Rien de plus simple: on oublie peu à peu l'indépendance pour y substituer un nouveau «pacte» confédératif. Le vide politique ainsi créé a l'inconvénient majeur de laisser le champ libre aux forces de la réaction. Tel est le premier résultat apparent de la stratégie immobile ou plutôt de la non-stratégie du clan Morin.

On raconte, monsieur le premier ministre, que vous n'écartez pas l'hypothèse de l'éclatement éventuel du parti (même l'Église après tout n'a jamais été à l'abri des divisions), mais que vous souhaitez ne voir intervenir la rupture «nécessaire» qu'après le référendum. Vous auriez déjà choisi le camp des conservateurs, celui des experts, et vous ne seriez pas hostile au remplacement de certains de vos députés par ceux des troupes unionistes. Je me demande bien alors à quoi aura servi l'action que vous avez menée depuis 1960 pour la libération du «dernier et du plus ancien des peuples colonisés d'Amérique du Nord», comme vous avez déjà dit et répété maintes fois.

Est-ce avec des réflexes de colonisés que l'on peut se débarrasser du colonialisme?

En misant de plus en plus sur le conservatisme, le discours autrefois progressiste du P.Q. se vide rapidement de tout contenu novateur. On est même assez loin du discours libéral de 1960.

Je ne trouve aucun sens à la politique de modération dont vous vous faites aujourd'hui le champion. L'abdication au plan politique et économique, la timidité sociale et culturelle, la récupération du discours conservateur, ce net virage à droite prive en fait vos militants de toute véritable motivation. On dirait que vous planifiez vous-même votre défaite. Car chaque recul du gouvernement sert d'abord les représentants les plus orthodoxes de l'ordre établi, c'est-à-dire les libéraux. Comment comprendre et expliquer ce masochisme suicidaire ?

Lettre 2

LE VIRAGE À DROITE

Lorsque vous perdrez le pouvoir, monsieur Lévesque, vous direz sans doute que le gouvernement n'y est pour rien. Vous en imputerez plutôt la faute aux libéraux et surtout à ceux d'Ottawa. Vous direz aussi que le peuple n'a pas à être tenu responsable du revirement de situation, qu'il a été manipulé par la machine canadienne et soumis à un lavage de cerveau. Vous direz enfin que le P.Q. a fait tout son possible mais qu'il a été vaincu par des tactiques mensongères, par l'arsenal des peurs pré-fabriquées, par l'action conjointe de la Sun Life et de la G.R.C. Vous vous laverez les mains d'une victoire de la droite en la portant au compte de la crise économique et de la déstabilisation politique. Les experts publieront des analyses *objectives* démontrant hors de tout doute que « ce qui devait arriver est effectivement arrivé ». Ainsi tout le monde aura la certitude d'avoir assisté à un phénomène naturel, inévitable, normal, logique et, somme toute, heureux.

Sous le leadership des experts, la société tout entière est en voie de fonctionner comme un système socio-technique où disparaît progressivement la notion de responsabilité et où, en cas de crise grave, chacun peut s'abriter derrière des phénomènes, des lois, des techniques, des incitations ou des ordres venus d'en haut ou d'à côté.

L'irresponsabilité systématique fonctionne déjà à l'échelle de l'électronucléaire dont le développement aux États-Unis, au Canada, en Europe et au Japon risque de façonner unilatéralement «la société de demain». Une société où la spécialisation à outrance du travail empêchera les travailleurs et les exclus d'avoir une vision globale des problèmes économiques, sociaux et politiques et, par conséquent, les empêchera d'intervenir au niveau des *choix*.

Pour illustrer le fonctionnement de l'éventuelle « société future » que les instances officielles entrevoient déjà comme une nécessité «scientifique», rien n'est plus à propos que l'électronucléaire dont les progrès sont stimulés par les intérêts des multinationales. Ce sont ces entreprises qui orchestrent les politiques énergétiques des pays occidentaux au mépris de la sécurité de leur personnel et de la population en général. Pour elles, le progrès est synonyme de profit et de puissance. Le développement social est le moindre de leurs soucis. Ainsi, un peu partout dans le monde, des décisions qui engagent l'avenir de plusieurs pays sont prises sans que le public soit informé et encore moins consulté. L'Ontario engage des milliards présentement à la réalisation d'un vaste projet électronucléaire dont la population ignore totalement les implications. Et le Québec a déjà mis le doigt dans l'engrenage à Gentilly (1, 2 et 3) et à LaPrade. Sans compter le fabuleux complexe de la Baie James dont la construction s'est décidée à New York.

Le système de l'irresponsabilité

Dès le départ donc, l'électronucléaire se développe sans la participation des citoyens. Pire encore, alors que tel médecin proclame, sans rien y connaître, qu'un accident grave dans une centrale nucléaire ou une usine d'eau lourde est pratiquement impossible (tout comme, dit-on, une guerre atomique est impossible), des «spécialistes des accidents» dans les centrales nucléaires des États-Unis et de l'Europe avouent publiquement leur ignorance totale des effets de la radioactivité! Mais qu'importe: on continue à construire des centrales nucléaires, à produire des réacteurs nucléaires, des surrégénérateurs, etc. On continue à accumuler des déchets radioactifs et à discuter théoriquement des probabilités d'accidents et de catastrophes. (On songerait actuellement à stocker des déchets radioactifs *américains* dans le golfe Saint-Laurent en utilisant les puits de la mine de sel des Îles-de-la-Madeleine!)

L'électronucléaire fascine l'esprit scientifique et les experts de toute sorte en font une véritable divinité. Il y a de quoi d'ailleurs croire en Dieu quand on sait que personne au monde n'est en mesure de *comprendre* l'ensemble de ce système dont l'existence est l'unique argument dont on dispose pour le perpétuer et l'accroître.

Passe encore que le simple téléspectateur ne perçoive pas tous les éléments du fonctionnement complexe de l'électronucléaire. Mais quand dans une usine nucléaire *en opération* le spécialiste de la radio-protection ignore tout des problèmes d'échange de chaleur à haute température... quand les administrateurs de ladite centrale ont peine à maîtriser la lecture de l'organigramme que les ingénieurs leur soumettent sur papier... quand les hommes politiques n'ont aucune notion de physique nucléaire... quand les «spécialistes des accidents» ignorent les effets de la radioactivité et, dans certains cas, avouent qu'ils ne peuvent mettre au point un système absolument sûr de sécurité... ne peut-on alors parler d'un système totalement *irresponsable?*

Dans un tel système, des experts jouent avec la vie de tout le monde sans qu'aucun d'entre eux ne se sente responsable d'accidents imprévisibles. C'est d'ailleurs l'une des caractéristiques des systèmes complexes de disposer d'un «certain jeu» et de comporter des déficiences. Sans quoi ils perdraient en souplesse et en «efficacité» ce qu'ils gagneraient en sécurité et en «fiabilité». Les défaillances assurent le fonctionnement *normal* des systèmes complexes.

Mais a-t-on le droit de courir tous les risques sous prétexte que le nucléaire est devenu le moyen par excellence de la puissance et du profit? Qu'arriverait-il si «une grève du zèle» survenait dans une usine nucléaire ou dans une usine d'eau lourde? Doit-on empêcher les travailleurs de Gentilly et de LaPrade de se syndiquer? Le nucléaire serait-il déjà devenu un «service essentiel»?

D'où vient donc, monsieur Lévesque, ce nouveau et absurde «service essentiel» que le Québec s'est lui aussi fait imposer et qui ne me paraît pas véritablement remis en question par votre gouvernement?

L'énergie nucléaire est née avec la Deuxième Guerre mondiale et a conduit, vous vous en souvenez, à la fabrication des premières bombes atomiques utilisées par les États-Unis contre le Japon. (Il y a présentement dans le monde des dizaines de milliers de bombes atomiques «disponibles» pour le cas où...) Les programmes militaires ont ensuite présidé aux réalisations à caractère industriel. Puis, l'énergie nucléaire s'est développée dans le domaine de la production d'électricité. L'électronucléaire a gagné à sa cause, en plus des multinationales, l'Hydro-Ontario et l'Hydro-Québec. Les hommes politiques se sont mis à rêver d'énergie, de prestige et de puissance. Les compagnies ont fait le calcul des énormes profits à venir. Presque toutes les classes dirigeantes aujourd'hui font « le choix du nucléaire » et l'imposent d'autorité à la société qui, tout autant qu'elles-mêmes, ignore totalement où ce choix conduit.

Là encore des experts inventent les justifications « rationnelles » d'un choix qui se fonde pourtant sur l'irrationnel (à moins de considérer la course illimitée aux armements comme l'unique voie rationnelle du progrès humain ; à moins de croire aveuglément aussi que la conversion industrielle de l'atome neutralise par miracle les effets de la radioactivité.)

Comment ne pas voir là une parfaite illustration de démission politique et sociale ? Des décisions secrètes et en cascade, prises par des états-majors militaires et industriels, sont imposées aux hommes politiques et à leur entourage technocratique pour ensuite être dévoilées à la population sous la forme de « faits accomplis ». Ainsi, Québec construit Gentilly 1, qui entraîne la décision de construire Gentilly 2, qui à son tour justifie la construction de Gentilly 3 puis celle d'une usine d'eau lourde à LaPrade. Il y aura d'autres décisions semblables qui seront présentées chaque fois comme des « contraintes » mais qui, en réalité, ne seront que les conséquences coûteuses et dangereuses de choix antérieurs purement irrationnels.

Si des citoyens expriment leurs craintes, on leur répond qu'elles ne sont pas justifiées et on leur fait miroiter les « avantages économiques » qui résulteront bien un jour de ces constructions absurdes. Le Front antinucléaire est même assimilé à un groupe terroriste et barbu. Si besoin est, l'escouade antiémeute réprimera l'opposition au nucléaire avec la même ardeur que n'importe quelle autre forme d'opposition. Bien sûr, nous sommes encore théoriquement en démocratie.

Mais celle-ci devient tout aussi incertaine que la «fia-bilité» nucléaire.

Bientôt même, l'inquiétude sera considérée comme un crime, car elle pourrait inciter les travailleurs spé-cialisés de l'électronucléaire à agir et à combattre les intérêts des multinationales.

La «société de demain», comme on peut le voir, risque de mal supporter la critique, l'opposition et la liberté. Même si elle ne pourra sans doute pas évacuer la peur et l'angoisse.

Un physicien français, Jean-Marc Lévy-Leblond, dans une récente livraison du *Monde diplomatique,* résume bien le sentiment de ceux qui, aussi «savants» soient-ils, s'interrogent sur l'information officielle et biaisée, doutent sérieusement des vertus présumées de la croissance industrielle et avouent leur incapacité de *comprendre* le monstre qui se développe sous nos yeux.

«J'ai peur des centrales nucléaires, écrit-il, beau-coup moins à cause des dangers d'accident que de leur possible fonctionnement *normal* (reposant sur l'effica-cité de la défaillance, la fonctionnalité du dysfonc-tionnement, autrement dit les écarts à leurs propres normes). J'ai peur, non pas tant parce qu'elles pour-raient ne pas marcher, mais bien parce qu'elles pour-raient bien marcher — et que *je ne comprends pas pourquoi.* Devant des systèmes complexes et gigan-tesques, intégrant des tonnes de béton, des myriades de minuscules transistors, des kilomètres de tubulures, échangeant des flux d'électricité, de vapeur et d'argent, reposant sur le travail de milliers d'ouvriers et d'ingé-nieurs, les décisions de centaines de politiciens et de technocrates dans le monde, le vertige me prend. Je ne comprends pas *pourquoi* «ça marche», parce que je ne comprends pas *comment* «ça marche».

« Physicien, je connais pourtant les principes de l'énergie nucléaire, ceux de la thermodynamique, ceux de l'électricité — j'ai le privilège de posséder presque tout l'arsenal nécessaire à la compréhension théorique du fonctionnement d'une centrale nucléaire. Théoriquement *seulement* : c'est qu'il y a loin des principes à leur mise en œuvre, des livres de physique et de leurs équations aux réacteurs et à leurs barres de contrôle. De la physique théorique à la physique expérimentale, déjà un hiatus ; de la physique à la technologie, un gouffre. Que sais-je de la métallurgie, de l'électronique, de l'hydrodynamique appliquée — sans parler de la plomberie et de la maçonnerie — qui se réalisent dans une centrale nucléaire au même titre que la physique fondamentale ? Comment donc parler de compréhension lorsqu'il s'agit d'une prise aussi unilatérale (du côté de la théorie) et partielle (du point de vue de la physique) sur la réalité ?

« Ce qui ne pourrait être qu'anxiété personnelle, due à l'insuffisance de mes moyens individuels, se transforme en *interrogation universelle* lorsque je réalise que *personne* ne possède cette compréhension qui me manque. Les plus impliqués dans une entreprise de cette ampleur n'ont chacun qu'une vue extrêmement limitée : l'ingénieur métallurgiste ne sait rien sur les normes de sécurité du béton, le spécialiste de la radio-protection ne connaît pas les problèmes d'échange de chaleur à haute température, et les administrateurs du programme n'en maîtrisent que l'organigramme de papier. Il n'y a plus de perception globale possible. »

Par contre, il y a partout un danger potentiel de catastrophe. Et ce danger s'inscrit dans le développement d'une société industrielle qui ne sait plus mesurer le progrès qu'en pourcentages et en accroissements

quantitatifs. Pendant que les experts mesurent le progrès à l'aide d'ordinateurs, l'activité politique, sociale
et culturelle des citoyens régresse à l'état de léthargie.
La grande politique, comme la grande entreprise,
échappe au commun des mortels. Et ce n'est pas les
communications de masse et l'information électronique
qui contribuent à une quelconque « perception globale »
des décisions prises par les super-grands États.

Le développement rapide et colossal de l'électronucléaire sert de modèle aux technocrates du pouvoir
qui déclarent ouvertement que la politique est désormais une affaire de spécialistes (comme la bombe atomique), qu'il n'est pas question pour vous et moi de
comprendre ce qui se décide au « niveau supérieur »
et que, somme toute, les choix qui engagent l'ensemble
de la société ne peuvent être faits que par le petit
nombre d'initiés que forme l'élite « avancée ».

N'est-ce pas cet élitisme qui chez nous préside
actuellement aux travaux pré-référendaires ?

Comment expliquer alors la résurrection du
mythe duplessiste ? C'est assez simple : Maurice Duplessis, malgré son langage de campagnard rusé, avait
compris *l'essentiel* : le peuple est fait pour être gouver-
né. Claude Morin est bien content de revoir le Chef
à l'écran de Radio-Canada. Car plus les Québécois
retrouveront leur « cher Maurice », plus les conservateurs de l'équipe gouvernementale auront de facilité
à faire basculer leurs rivaux « sociaux-démocrates »
dans le camp des « indésirables », des « radicaux »,
voire même des « crypto-communistes », des « idéa-
listes » et des « rêveurs ». Les multinationales aussi
sont heureuses de la réhabilitation du Chef. Et pendant
que Duplessis refait surface, on construit, comme prévu
sous l'ancien régime, l'usine d'eau lourde de LaPrade,
on poursuit les travaux de la Baie James, on ralentit

le rythme des «réformes sociales» et on prévient les travailleurs syndiqués que le moment est venu de se serrer la ceinture. On n'ose plus parler de libération. À peine affirme-t-on, de temps à autre, que le gouvernement est «à l'écoute» des besoins du pays? Quel pays? Quels besoins?

Le retour de Duplessis

La réhabilitation de Maurice Duplessis répond, à mon avis, aux impératifs de la grande entreprise. Celle-ci ne souhaite en effet rien d'autre que de voir la société gouvernée de façon autoritaire. L'ascension politique de Claude Ryan répond également à cet objectif.

J'hésite à croire que les Québécois se laisseront encore une fois abuser par les partisans du «law and order». Toutefois, je ne peux que constater la popularité considérable de l'imagerie duplessiste. La série d'émissions que Radio-Canada vient de réaliser sur Duplessis a enregistré l'une des cotes d'écoute les plus élevées de l'histoire de la télévision québécoise.

D'autre part, la biographie du Chef, écrite par Conrad Black dans les deux langues officielles du pays, se vend très bien. À en croire cet homme d'affaires de Toronto, Maurice Duplessis aurait été l'homme providentiel des années 1940 et 1950, et celui dont le Québec de 1978 aurait toujours besoin. «Tout comme le maréchal Pétain, écrit Black, il fit don à l'État de son personnage qui à ce jour n'a pas cessé d'être légendaire. (...) Il passa à l'histoire comme le plus grand chef politique qu'ait connu la province.» L'Union nationale, sous sa direction, aurait été «la plus puissante force politique de l'histoire du Québec».

Selon notre auteur, «la grande noirceur» aurait été une pure invention d'intellectuels frustrés. Duplessis n'aurait jamais été un démagogue. Il aurait été au contraire l'ami des ouvriers et s'il a fait matraquer les mineurs d'Asbestos en 1949, c'était pour leur bien, celui de la province et du progrès social.

Le parallèle avec Pétain est éloquent. Pour Conrad Black sans doute, le maréchal n'a jamais collaboré avec le régime hitlérien et l'Occupation allemande n'était rien d'autre qu'un « moindre mal » !

Ce retour en force d'idées que l'on croyait à jamais disparues devrait susciter spontanément une riposte. Au contraire, elles semblent accueillies avec complaisance, sinon avec enthousiasme.

Soulignons que M. Conrad Black n'est pas un historien, ou plutôt un biographe ordinaire. Il est membre des conseils d'administration d'Argus Corporation, d'Eaton's, de la Banque de commerce, de Dominion Securities, etc. Il dirige une chaîne d'une vingtaine de journaux s'étendant de l'Île-du-Prince-Édouard à l'Alaska. Certains le désignent comme successeur éventuel de Bud McDougald à la direction d'Argus Corporation qui contrôle, entre autres, Iron Ore, Massey-Ferguson, Dominion Stores, Domtar... Bref, Conrad Black est un représentant éminent du multinationalisme. Il est membre du Parti conservateur et ce qu'il apprécie chez Duplessis peut se résumer ainsi: « Duplessis n'intervenait pas dans les affaires de l'entreprise privée. Il assurait la stabilité et la paix sociale. C'était l'homme politique par excellence. »

On dirait, monsieur Lévesque, que votre gouvernement est de plus en plus fortement tenté de récupérer cette idéologie. Qu'il mise en quelque sorte sur la popularité *post mortem* de Duplessis pour gagner des votes.

On est désagréablement surpris de voir le Parti québécois progressivement envahi par des unionistes et déserté par plusieurs éléments de son aile gauche. Ce net glissement à droite laisse prévoir de sérieux affrontements avec les syndicats les plus militants et encourage déjà le patronat à durcir ses positions. De plus, il décourage les intellectuels, les étudiants, les écologistes et les féministes qui en 1976 espéraient un bond en avant de la conscience politique.

Cette «dépression» politique et sociale rappelle celle qui en 1938 — il y a exactement 40 ans — avait succédé à la première victoire électorale de l'Union nationale. Duplessis, lui aussi, avait, en 1936, promis la démocratisation des finances publiques et électorales, la nationalisation de l'électricité, le développement social, l'essor culturel, etc. J'aime croire, monsieur le premier ministre, que l'histoire ne se répète pas nécessairement. Je reconnais également que votre conseil des ministres est plus instruit que celui de Maurice Duplessis. Mais l'instruction n'est pas une protection suffisante contre les tentations électoralistes. Et vous savez le peu d'estime que j'ai pour vos super-ministres dont le conservatisme est d'ailleurs largement étalé dans chacune de leurs décisions. Je me dis donc que si Borduas et Gauvreau se trouvaient aujourd'hui parmi nous, ils s'empresseraient, contrairement à l'aspirant-ministre Gérald Godin, de sonner l'alarme et d'écrire une version contemporaine du *Refus global*.

Champion de l'autonomie du Québec vis-à-vis du pouvoir central, Duplessis manipula le nationalisme pour vendre le Québec aux Américains. Depuis lors, tous les gouvernements du Québec l'ont imité. Est-il nécessaire que le Parti québécois soit lui aussi entraîné dans ce processus continu de dépendance?

En 1946, «la mise en valeur de l'Ungava» fut adoptée à l'Assemblée nationale. Québec recevait *un sou la tonne* pour le pillage de son fer. «Duplessis possédait à un haut degré le sens de la grandeur du Québec», écrit Conrad Black après avoir rappelé «l'affaire Iron Ore». «Il garda toujours ce goût de la nouveauté, du grandiose, des choses qui pouvaient susciter la fierté des Québécois et démontrer leur créativité et leur sens des proportions à l'égard de leur vaste province.» Ouais!

Si jamais le futur président d'Argus Corporation écrit un livre sur Robert Bourassa, sans doute le félicitera-t-il chaleureusement d'avoir vendu la Baie James aux Américains et d'avoir concédé les forêts de la Côte-Nord à la méga-entreprise I.T.T.

Ce qui fascine Conrad Black chez Duplessis, ce n'est pas son autonomisme, son crypto-séparatisme ou sa méfiance du pouvoir central. Il sait parfaitement bien que Maurice Duplessis entretenait des relations étroites et cordiales avec Louis Saint-Laurent. Le nationalisme n'était qu'un écran de fumée destiné à camoufler la coca-colonisation du Québec. Il faut lire ce portrait que Black dessine du Chef, «le seul véritable homme politique que le Québec ait connu»:

«Duplessis impressionnait les directeurs de l'industrie par la force de son idéologie, par son anticommunisme plein d'ostentation, par son opposition courageuse aux syndicats réfractaires et par le fait qu'il s'était fait le champion de la libre entreprise. Son esprit décisif, ses succès électoraux retentissants, sa longue carrière impressionnaient ces hommes accoutumés à juger les gens et les situations d'après des états de comptes et des bilans de pertes et profits. Pour ces gens, Duplessis était l'homme sur qui on pouvait compter le jour du scrutin et entre les élections. Aux hommes d'affaires anglophones qui lui posaient des questions sur un sujet politique, il répondait souvent, sur un ton rassurant: «Je vais m'en occuper. Ça ne concerne que nous les Québécois français. C'est ma responsabilité, ne vous inquiétez pas.» Ainsi la collectivité anglophone avait l'impression qu'elle n'avait pas à se préoccuper du quatre-vingt pour cent de majorité française qui les entourait. Duplessis, comme toujours, règlerait tout.

«Ils applaudirent pour marquer leur appréciation de sa déclaration en 1957 à l'Association canadienne des Manufacturiers: «Mon gouvernement est le seul en Amérique du Nord qui est entièrement en faveur de la libre entreprise avant, durant et après les élections... Je viens d'être réélu pour un cinquième mandat. Aucun autre gouvernement au Canada n'a eu cinq mandats et aucun autre dans l'histoire de la province de Québec; et croyez-moi, ce n'est que le commencement.» Étant donné que ces chefs d'entreprises étaient aussi les gouverneurs et les administrateurs des universités et hôpitaux anglais, ils pouvaient apprécier mieux que quiconque la générosité de Duplessis envers la minorité anglaise de la province.

«Situation ironique, Duplessis, si vindicatif envers les comtés francophones qui votaient contre lui, se montra toujours généreux envers les Anglais et leurs institutions, même si les districts cossus de Montréal votèrent toujours contre lui après 1936. Sa modération s'explique en partie par son désir de maintenir une bonne réputation auprès des capitalistes anglophones qu'il cherchait à convaincre de placer leur capital dans la province et en partie parce qu'il s'opposait sincèrement à la discrimination raciale. Le traitement mesquin des minorités francophones hors du Québec lui déplaisait souverainement et renforçait sa conviction que les minorités devraient partout être traitées de façon équitable. Contrairement à certains de ses successeurs, il n'envisagea jamais sérieusement l'idée d'abandonner les minorités françaises hors du Québec sous prétexte qu'elles étaient déjà assimilées et il n'était pas d'accord non plus pour contrarier les Anglais du Québec. Il n'aurait jamais toléré les politiques de ses successeurs — faire de la langue une question politique tout en exigeant du fédéral plus d'argent à dépenser au Québec avec une prodigalité partisane.

«Duplessis se servait parfois des inaugurations d'hôpitaux et d'universités pour énoncer sa philosophie de la société. Ainsi lorsqu'on posa la pierre angulaire du nouvel hôpital de Montréal, auquel le gouvernement avait contribué environ cinq millions de dollars, il déclara: «*Le pire cancer est le cancer de l'esprit* qui amène la population à penser que le gouvernement devrait tout faire... Le devoir de la province de Québec est d'aider ceux qui s'aident. Notre devoir n'est pas d'aider ceux qui ne s'aident pas.» Le *Financial Times,* jubilant, reproduisit ces paroles tout en exprimant le regret qu'il n'y ait personne au fédéral pour manifester de tels sentiments (8 mai 1953).»

N'est-ce pas édifiant, monsieur Lévesque?

Duplessis, contrairement à ce qui vous arrive, était béni du capitalisme. Le Chef avait d'ailleurs fait une profession de foi sans équivoque: «Québec est le seul endroit en Amérique du Nord où l'on peut être certain qu'il n'y aura jamais aucun communiste, gauchiste ou autre radical. (Tiens, Parizeau disait la même chose en expliquant la fermeture du *Jour*.) Le compromis serait de la complicité... Vous pouvez être certain d'une chose, c'est que la libre entreprise sera toujours respectée et sauvegardée. L'appropriation par l'État peut parfois s'avérer nécessaire pour éviter un plus grand mal, mais ce n'est pas à recommander.»

Il faut lire le tableau savoureux que Conrad Black fait du milieu «canadien-français» des affaires.

«Il n'était pas nécessaire de gratter longtemps la surface pour découvrir la part de patronage dans les affaires. Duplessis ne se gênait pas pour intervenir auprès des compagnies, même les plus grosses, pour demander qu'on donne plus de travail à un certain fournisseur ou qu'on cesse d'en donner à un autre. Contrairement au mythe chéri des anglophones, les milieux anglais entraient dans l'esprit du système politico-économique byzantin de Duplessis avec un enthousiasme qui ne le cédait en rien à leurs compatriotes d'expression française. Les hommes d'affaires, quelle qu'ait été la langue dans laquelle ils s'exprimaient, savaient reconnaître une bonne affaire. Ils comprenaient les ententes où les parties se faisaient des faveurs mutuelles et il n'y a aucune preuve qu'on objectait à ceci de nobles principes britanniques.

«Il n'y avait pas beaucoup de capital disponible dans les milieux francophones ni personne d'aussi riche que J. W. McConnell. (...) Les industriels anglais avaient conclu une entente avec Duplessis, chef séculier de la majorité francophone au pouvoir, leur hôte au Québec. Ils formaient un groupe à part et en autant qu'ils étaient bons citoyens respectueux du Premier ministre, il n'y avait pas de problème.

« Les chefs d'entreprises canadiens-français ne représentaient pas des compagnies nationales et internationales et rares étaient ceux dont les intérêts n'étaient pas sujets au contrôle du Premier ministre du Québec. On attendait et recevait donc d'eux un plus grand degré de soumission. Les exceptions à cette règle étaient rares mais il y avait bien Donat Raymond, de dix ans l'aîné de Duplessis et sénateur depuis 1926; très riche et partisan des libéraux, il ne dépendait pas du Premier ministre. Il était à la tête du Trust General et de la compagnie Royal Trust du Québec français, avait vendu ses actions dans l'équipe des Canadiens de Montréal à Harland Molson et gardé les actions qu'il possédait dans le groupe Hollinger mais laissait son cousin germain, Jules Timmins agir en son nom. Jules Brillant était un autre Canadien français fortuné qui après bien des efforts avait réussi à vendre pour cinquante millions de dollars chacune sa compagnie de téléphone et sa compagnie de pouvoir hydro-électrique. Il était beaucoup moins indépendant que Raymond et avait choisi de collaborer discrètement avec le gouvernement bien qu'il était conseiller législatif dans l'Opposition depuis 1942. Jacob Nicol, sénateur et conseiller législatif, n'était pas aussi réservé. Et les Simard, probablement la plus riche famille du Québec — n'agissaient pas toujours avec beaucoup de discrétion. Ils s'étaient enrichis grâce au patronage du Parti libéral fédéral, dispensé surtout par P. J. A. Cardin. Il y eut d'abord les contrats de dragage du Saint-Laurent et plus tard les contrats de fabrication d'armes et de construction navale. La famille se composait de Joseph, que Duplessis nommait « le cerveau » de la famille, d'Edouard, qu'il appelait « la conscience », et de Fridolin, qui lui, était « la bouche ». Peu de temps après le retour de Duplessis au pouvoir les Simard déclarèrent qu'ils appuyaient l'Union nationale au Québec et les libéraux à Ottawa. Ils ménageaient ainsi le chou et la chèvre en restant dans les bonnes grâces du fédéral et en évitant de se mettre à dos le parti provincial au pouvoir. Joe Simard avait eu des rapports personnels amicaux avec Duplessis durant le premier mandat de celui-ci et le préférait probablement à Godbout quoique, comme toute personne responsable, il désapprouvât les manigances de Duplessis à l'époque. Duplessis avait plutôt été porté à appuyer les Simard durant les grèves illégales fomentées par Desranleau dans leurs usines de Sorel durant les années trente et Joe Simard en remercia chaleureusement Duplessis après l'élection de 1939.

« Leurs rapports continuèrent d'être cordiaux après 1944. Joe Simard appuyait financièrement l'Union nationale et le gouvernement n'intervenait pas. Mais Simard continua de s'occuper activement des affaires du Parti libéral du Québec et Lapalme prétend que les Simard appuyèrent et contribuèrent à sa campagne au leadership libéral. Cependant Joe Simard est censé avoir encouragé ses sept mille employés aux usines de Sorel à voter pour l'Union nationale, ce que la plupart firent en 1948 et 1952. Il contribua à l'Union nationale et Edouard donna un certain appui aux libéraux. Ils réussirent à maintenir cette partisanerie soigneusement orchestrée pendant plusieurs années. Duplessis leur passait quelques contrats quoiqu'il ne pouvait exercer beaucoup de patronage dans la construction navale mais il faisait des faveurs aux Simard y compris beaucoup d'aide dans les règlements de conflits syndicaux. Le 21 mai 1958, Joe Simard remerciait Duplessis d'avoir confié l'agrandissement de l'hôpital de Baie-Saint-Paul à son gendre, Clément Massicotte. Que le plus riche de tous les Canadiens français remercie Duplessis d'avoir donné du travail à son gendre, c'était bien là le summum du patronage: « Je suis très touché par cette attention de ta part accordée au mari de ma fille et je suis naturellement ému par ce geste envers l'un des miens. Je te remercie très sincèrement. Je ne puis ajouter qu'une chose, c'est que tu pourras compter sur moi. »

(...)

« Au moment de la mort de Duplessis, le 7 septembre 1959, Joseph Simard était en croisière sur un navire marchand qui venait de sortir de son chantier naval. Il était accompagné des membres de sa famille et de Cécile-Ena Bouchard, fille de T.-D. Bouchard. Quand ils apprirent, à la radio, la mort de Duplessis, Simard insista pour que tous ceux présents se joignent à lui pour la récitation du chapelet à l'intention du Premier ministre décédé. Tous s'agenouillèrent, y compris la fille de T.-D., sur le pont du bateau de quatorze mille tonnes et prièrent, sans doute avec divers degrés de sincérité, pour l'âme de Maurice Duplessis. »

Comme la famille Simard, la population du Québec (avec ou sans argent) avait pris à cette époque l'habitude de voter « bleu » à Québec et « rouge » à Ottawa. Sous Trudeau, on vote toujours « rouge » aux élections fédérales. À Québec, c'est une coalition « bleue, blanche et rouge » qui a remporté les dernières élections provinciales. Le patronage et le maquignonnage auraient disparu, dit-on, et les caisses électorales se disputent le monopole de la pureté.

Mais, pureté ou pas, le conservatisme est à la mode. La catéchèse traditionnelle reprend du poil de la bête dans les écoles. On parle davantage de productivité que de créativité. L'État entend prendre la relève des Simard et devenir l'entrepreneur principal de la collectivité francophone. Rodrigue Biron et Rodrigue Tremblay tiennent un langage identique. De Lévesque à Ryan un même slogan court les rues: vers une société stable. Un même épouvantail est agité: le gauchisme. Une même obsession tourmente les consciences: le niveau de vie.

Jamais je n'aurais cru il y a deux ans que le débat politique descendrait aussi rapidement au niveau du pain et du beurre, du travail et de la discipline. L'autoritarisme des préfets est en train d'être vendu aux masses comme l'une de ces « plus hautes vertus humaines et civiques » dont Claude Ryan se fait l'apôtre depuis 30 ans. Sommes-nous à deux ou trois doigts du fascisme ?

La Ligue des droits de l'homme, en tous cas, n'a pas hésité à lancer une Opération Liberté qui de toute évidence s'impose. Bien sûr, cette opération vise en premier lieu les agissements illégaux de la police politique fédérale, mais pouvons-nous dire avec certitude que seul le Canada anglais nourrit des ambitions totalitaires? Je ne dis pas, comme le fait le magazine *Maclean's* que le gouvernement du Parti québécois est tenté en 1978 par le fascisme. Je constate seulement que la population québécoise, depuis un certain temps, est fortement incitée à «mieux comprendre» les qualités d'homme d'État de son ancien chef suprême, Duplessis. C'est cela qui est inquiétant; aussi inquiétant, monsieur Lévesque, que les menées subversives de la G.R.C. auxquelles d'ailleurs collaborent aussi des policiers québécois.

Décidément, monsieur le premier ministre, le Parti québécois n'a pas choisi le meilleur moment pour gagner les élections de 1976. Le contexte économique a peut-être même incité les libéraux à vous porter eux-mêmes au gouvernement afin de briser plus rapidement les forces indépendantistes. On pourrait ainsi expliquer pourquoi Claude Ryan a voté en 1976 pour le P.Q. Mais indépendamment du contexte économique, le P.Q., une fois au pouvoir, n'avait-il pas le devoir de dire toute la vérité et, s'appuyant sur elle, d'inviter les Québécois au dépassement? On voit au contraire votre gouvernement s'enfermer dans la quadrature du cercle: d'un côté, il prêche l'indépendance du Québec; de l'autre, il bloque les réformes indispensables à cette indépendance.

Cette politique est empoisonnée et c'est elle qui présentement propage l'humeur morose et désabusée que l'on sent dans tous les milieux. Quand on en est rendu à faire d'un Claude Ryan une «vedette», il faut que l'on soit descendu bien bas. Car ce Ryan est un poison mortel. Il incarne mieux que quiconque l'aboutissement logique de la résurrection soudaine de Maurice Duplessis. Oui, en effet, Claude Ryan est l'homme tout désigné pour « dialoguer » avec Pierre Trudeau, comme autrefois Duplessis avec Saint-Laurent.

Lionel Groulx, un centenaire de trop

Mais le mythe de Duplessis ne suffit pas. Il faut qu'en plus on y ajoute celui du chanoine Lionel Groulx.

Vraiment, le développement socio-culturel est en train de se faire à l'envers. *L'idéologie de conservation* qui, de 1840 à 1960, avait réussi à emprisonner le Québec dans une espèce de *Goulag* clérical, est récupérée par ceux-là mêmes qui, dans les années 1950 et 1960, en ressentaient une profonde nausée.

1978 devrait être l'année du *Refus global* (publié il y a 30 ans), celle des Paul-Émile Borduas, des Jean-Paul Riopelle, des Claude Gauvreau, des Hubert Aquin. Mais non, c'est le *centenaire* Lionel Groulx.

De Groulx, monsieur Lévesque, vous avez écrit en début d'année qu'il « nous a donné, par son œuvre et ses actions, une leçon de patriotisme pratique et *éclairé* qui nous guide aujourd'hui dans nos choix présents ». Le chanoine aurait été, à vous croire, « l'un des principaux semeurs de la moisson d'avenir qui lève aujourd'hui au Québec ».

Permettez-moi, monsieur le premier ministre, de refuser énergiquement ce « principe de salut » que Groulx revendiquait, c'est-à-dire l'alliance sacrée de la religion, de la langue et de la patrie. Je ne marche pas dans ce recours à *l'âge d'or* présumé indépassable qu'aurait été « notre maître le passé ».

Le conservatisme politique dont on observe la résurgence est l'équivalent «laïc» de la religion catholique, paternaliste, puritaine et *totalitaire* qui chez nous, jusqu'en 1960 du moins, se présentait aux masses comme dépositaire unique et indispensable de la vérité, du savoir, de la culture et de la «richesse nationale».

Il est vrai que le totalitarisme de la «foi» peut rendre de grands services au système d'irresponsabilité humaine que la société électronucléaire est en train de modeler au nom du progrès, de la croissance et du bonheur. Voilà sans doute pourquoi la Fondation Ford et même la C.I.A. participent au financement de certains mouvements religieux. Ici même, au Québec, des compagnies souscrivent des sommes importantes à ce que l'on nomme le «renouveau charismatique». Déjà, sous Duplessis, les œuvres pieuses et charitables jouissaient d'un statut particulier dans l'économie des entreprises. Bien sûr, le chanoine Groulx, quant à lui, répugnait au développement industriel. Mais ses disciples se sont «convertis» aux idées libérales depuis 1960. Cela n'a en rien modifié, de toutes façons, leurs «méthodes d'obscurcissement» des esprits (André Breton, *Arcane 17*). Aujourd'hui, un curé peut se dire à la fois libéral, conservateur, démocrate, unioniste ou péquiste. L'Église ne privilégie aucun parti mais elle les courtise tous. L'essentiel, c'est l'ordre.

En faisant de Lionel Groulx l'ancêtre malgré lui de la souveraineté-association, le Parti québécois ramène au pouvoir la tradition cléricale de l'autoritarisme.

Par les temps qui courent, des abbés (certains laïcisés ou réformés) se promènent ainsi d'un comité de parents à l'autre avec en mains le Livre vert sur l'enseignement public. Ils ont pour «mission» de réaffirmer que «*nous* sommes une majorité catholique», que «*nous* voulons la confessionnalité catholique à l'école» (et ailleurs), que «*nous* revendiquons une formation catholique» (*Le Devoir,* 4 mars 1978). Le «docteur» Jean-Marc Brunet, fasciste notoire, participe activement à cette campagne en dénonçant les «gauchistes» et les «communistes» qui, selon lui, sont chargés par l'enfer de détruire l'identité *nationale* des Québécois. Athéisme et socialisme seraient par nature et par vocation lucifériens... et foncièrement antiquébécois. Officiellement baptisée catholique en 1840 (après la sanglante répression des patriotes), la nation ne pourrait trouver son salut que sous le leadership de l'Église et de ses commissaires de droit divin.

Cela peut paraître idiot en 1978 de se préoccuper des intégristes. Pourtant, ils sont mobilisés, bien portants et même «naturistes». Le réarmement moral est en plein essor.

La stratégie obscurantiste commence d'abord par faire don au peuple d'une «mémoire nationale» totalement imprégnée du cléricalisme et de ses œuvres. Cette «mémoire» est destinée à faire revivre des «valeurs existentielles» de base. Par exemple, la famille, la religion, et surtout «le sens du devoir». Enfin, quand les âmes retrouvent l'art de l'obéissance et de la discipline, apparaît le chef providentiel. L'Église est prête à investir l'État. Le cardinal Roy, primat de l'Église canadienne, confie à Claude Ryan la charge «civile» des âmes. Les multinationales financent l'opération, et le tour est joué. Politique-fiction?

L'hommage à Lionel Groulx, auquel le Parti québécois participe activement cette année, est inconsciemment une entreprise fascinante. Ce ne sont pas les Fernand Dumont de notre culture qui réussiront à me convaincre du contraire. Il n'y a qu'à lire l'œuvre de Lionel Groulx pour comprendre ce que recouvre son nationalisme.

Le docteur Jacques Genest, médecin et proche collaborateur du chanoine, nous rappelle opportunément
l'essence même du nationalisme clérical.

«Le nationalisme de Groulx ne comptait qu'en autant qu'il
était profondément imbu des valeurs chrétiennes. Je me demande souvent ce qu'aurait dit Groulx devant le nationalisme québécois actuel. Il avait manifesté à de nombreuses
reprises un pessimisme certain et des moments de décou-
ragement devant la démission des élites professionnelles et
universitaires, *les tendances anticléricales et athées* qui com-
mençaient à germer à la Corporation des Enseignants du
Québec, devant le marasme dans lequel les fonctionnaires
du ministère de l'Éducation, sous l'impulsion d'Arthur Tremblay, avaient plongé l'enseignement du français et de l'histoire de l'Amérique française. Devant la stagnation sociale
et intellectuelle de nos écoles polyvalentes et de nos cégeps,
je suis sûr que Lionel Groulx aurait demandé de retirer son
nom au cégep de Sainte-Thérèse. Je peux imaginer son
profond attristement devant les manifestations de la jeune
«rastaquouère» néo-nationaliste accourue sur le Mont-Royal
lors des manifestations des fêtes nationales du 24 juin! Combien de fois Groulx a manifesté sa tristesse devant ce néo-
nationalisme étriqué, si pauvre intellectuellement, de jeunes
militants sans aucune connaissance du français écrit et de
l'histoire du Canada français, sans éducation ni *civilité*!

«Une nation qui se veut forte doit tout d'abord, et c'est l'avis
unanime de tous les démographes, s'appuyer sur une natalité
qu'elle doit encourager par des abattements d'impôt ou un
régime socio-économique qui permet aux pères de famille
de donner à leurs enfants toutes les possibilités de développement physique et intellectuel. *Une nation qui se veut forte
doit aussi s'appuyer sur des valeurs spirituelles profondes,
un sens des vertus civiques et un système d'éducation où
l'on met tout d'abord l'accent sur la recherche de l'excellence, sur l'effort personnel, sur la compétence et le sens de
l'histoire.* Les «joujoux» audio-visuels et l'infantilisme qui a
accompagné les énormes dépenses de ces départements dans
notre «nouveau» système d'éducation ne remplaceront jamais l'appel à l'effort individuel, les lectures personnelles,
ni l'inculcation d'un idéal élevé et du *sens du devoir* et des
responsabilités sociales. Quelle profonde déception, sinon

quelle colère s'emparerait de Groulx aujourd'hui en voyant certains politiciens et «chefs» sociaux prôner l'établissement de cliniques d'avortement sur demande ou être, par manque de courage, sans réaction aucune face à la licence des mœurs qui mine la jeunesse canadienne-française. Quelle tristesse ressentirait Groulx devant l'absence de leadership et de courage élémentaire de nos supposées élites universitaires, professionnelles et sociales pour créer les seules vraies réformes qui peuvent être à la base d'une véritable nation forte. Quelle réaction de dépression aurait Groulx à entrendre nos «néo-nationalistes» prôner l'amour libre, le mariage à l'essai ou le concubinage répétitif, et devant le taux de natalité du Québec, le plus bas au Canada, alors que notre province pourrait absorber facilement 30 à 35 millions d'habitants.»

Groulx se référait volontiers à Maurras, Franco, Mussolini, Salazar. Agréable compagnie. Il voyait dans le fascisme et le corporatisme les fondements «chrétiens» d'une société «saine». Il ne pouvait concevoir l'exercice de la liberté en dehors d'un encadrement rigide. Et pour favoriser cet encadrement, il ne lui répugnait pas de soutenir les méthodes d'infiltration propres aux sociétés secrètes, comme, entre autres, cet Ordre de Jacques-Cartier qui au Québec tenta de s'emparer du pouvoir politique, après avoir réussi dans les années de grande noirceur à contrôler les domaines de l'éducation et de l'information (en particulier le journal *Le Devoir*).

Le chanoine rêvait pour le Québec d'un chef «national», capable de «refaire psychologiquement, moralement et spirituellement le pays». Ce chef devait être catholique et *grand* comme Franco.

Lionel Groulx détestait, il va sans dire, «les autres races» qui au Québec formaient, selon lui, «une minorité d'*étrangers*». Il dénonçait ces «Juifs qui, faisant commerce en ce pays et qui ne sont pourtant qu'une poignée — ne craignent pas de mettre sur leurs en-

seignes des mots de langue juive ». Antisémite et an-
glophobe, il prétendait que le catholicisme romain, le
fascisme et la langue française constituaient l'essence
même de la nation québécoise. Inutile d'ajouter qu'il
n'était pas l'incarnation vivante de ce que l'on nomme
la « tolérance ».

« C'est nous, disait-il un jour, la majorité et les
maîtres du pays qui devrions imposer aux étrangers
nos façons de voir et de sentir (celles de l'Église, faut-il
comprendre), nos mœurs, notre civilisation. Mais qu'ar-
rive-t-il? C'est nous, la majorité, c'est nous, les maîtres,
qui subissons les mœurs, la civilisation des immigrants
et jusqu'à leur cinéma *immonde,* et jusqu'à leurs *cor-
ruptions*, et jusqu'à leurs costumes *débraillés*. Tout cela
est en train de nous pourrir jusqu'à la moelle. »

En 1944, Groulx s'opposa à la conscription, parce
que « le parti de la guerre » était selon lui composé
d'Anglais et de Juifs. Il partit alors en croisade contre
« l'idéologie protestante » qu'il qualifiait d'impérialisme
judéo-britannique !

En 1948, il salua la victoire du « parti autonomiste »
de Maurice Duplessis d'un retentissant *Deo gratias* !
« Miracle providentiel », annonça-t-il fièrement à ses
élèves. « Avec des chefs, de vrais chefs, quelle rénova-
tion il est possible d'espérer ! » Et Duplessis, sentant là
un soutien efficace, multiplia ses visites aux basiliques à
miracles et prononça même des sermons du haut de la
chaire.

Trente ans après le « miracle providentiel » de 1948,
Lionel Groulx est promu solennellement au rang d'historien « national » et de « chef spirituel » de la nation.
En voilà trop! Nous assistons à une véritable super-
cherie intellectuelle et morale. On voudrait une fois de
plus, au nom du nationalisme, nous faire avaler n'im-

porte quoi. Je trouve pitoyable que le Parti québécois se soit empressé de canoniser ce faible d'esprit au moment où il se targue de proposer aux Québécois un ambitieux projet de « développement culturel ».

Et voici Claude Ryan

C'est Claude Ryan qui doit se frotter les mains d'aise, lui qui fonde l'avenir sur la stabilité et qui assimile le progrès au maintien des traditions. Ce qui s'appelle du « progressisme conservateur » ou la progression du conservatisme !

Monsieur le premier ministre, vous vous trompez si vous croyez qu'en retirant du cimetière le couple Duplessis-Groulx, votre parti aura de meilleures chances de gagner le référendum et les prochaines élections. L'avorton naturel de ce couple horrible se nomme Claude Ryan. René Lévesque est trop « instable » en effet pour les partisans de l'ordre.

De plus, je vois difficilement de quel secours peuvent être ces « héros nationaux » face au défi que pose l'empire multinational. Le retour aux conceptions du passé est absolument sans avenir. Il ne peut en définitive que « réhabiliter » l'impuissance.

« Le drame sans fin de notre vie collective », comme disait le chanoine, c'est celui de l'impuissance et de la peur de vivre. Vous savez autant que moi ce que nous a procuré notre stabilité « exemplaire » d'avant 1960: la stérilité généralisée. Ce que précisément la Commission trilatérale nous commande aujourd'hui de retrouver dans l'intérêt de la prospérité unidirectionnelle du capitalisme de monopole.

Alors que le monde assiste présentement à une troisième révolution industrielle et que le multinationalisme menace plus que jamais de standardiser les rapports sociaux au profit d'une élite financière et technocratique, ce goût soudain pour la stabilité, l'ordre et «la crainte de Dieu» (synonyme de celle des plus forts) ne correspond en rien à un besoin de souveraineté et d'indépendance. Il correspond plutôt au culte des cimetières. Tous les cimetières en effet sont *stables*. Et Claude Ryan n'a pas une tête de croque-mort pour rien.

Lettre 3

ENVIRONNEMENT INTERNATIONAL ET COCA-COLA

L'homme moyen selon Claude Ryan, c'est quelqu'un d'irrémédiablement gris. Pas assez de force d'âme pour être rangé du côté des héros et des saints. Trop nonchalant pour faire un vrai salaud. Trop confortable pour une révolution et pas assez grand pour une démocratie ouverte. Par contre, ce qu'il faut de souplesse, de gros bon sens et de gentillesse pour être heureux dans l'inaction comme au travail. Avec, en plus, assez de force pour continuer d'avancer dans le demi-sommeil de la tranquilité mentale et morale. Juste assez d'énergie pour que le capital en retire quelque chose. Pas assez cependant pour que l'imagination s'y développe.

Cet homme selon Ryan est l'électeur type. Un modèle de raisonnabilité bonasse et de modération agréable. L'homme du coca-cola.

Monsieur Lévesque, les gens n'ont qu'une faible idée de l'influence du coca-cola dans le monde. Et pourtant «l'environnement international» dans lequel nous baignons tous en est imprégné. Même en Union soviétique de léniniste réputation, la croissance du produit national brut (P.N.B.) se mesure à la consommation de coca-cola (ou de pepsi) par les masses. Plus cette consommation universelle augmente, plus le monde est défini comme riche et est présumé heureux. Plus le monde devient capitaliste.

La coca-colonisation de la planète caractérise l'environnement international de la seconde moitié du XXe siècle. Et c'est dans ce contexte que se situe aujourd'hui la question du Québec.

Qui planifie la coca-colonisation universelle? Bien entendu, le système industriel de type américain. Ce système dans lequel nous respirons ou étouffons, (selon le point de vue et la classe sociale), opère une véritable révolution. En effet, au moyen d'une concentration de plus en plus poussée du pouvoir économique et politique entre les mains d'une élite restreinte, le système dominant est en voie de remplacer les marchés et leur contrepartie politique, les gouvernements, par une *planification mondiale et bureaucratique* des désirs, des «besoins» de consommation, des prix, de la main-d'œuvre, des sources d'approvisionnement (en matières premières et en énergie), de l'équipement, de la production et, finalement, des valeurs culturelles.

La libre entreprise, le libre marché, la libre concurrence, les économies nationales et, par voie de conséquence, les systèmes politiques nationaux cèdent progressivement la place à ce que John Gailbraith a nommé il y a quelques années «le nouvel État industriel». Ce nouvel État est multinational et technocratique. Il vise à l'internationalisation du capitalisme monopolistique pratiqué par les méga-entreprises. Voilà ce que d'aucuns nomment le phénomène de la coca-colonisation.

L'étendue de ce phénomène, qui transforme à la fois quantitativement et qualitativement le capitalisme mondial, est telle qu'aucun continent ni aucun régime politique n'y échappe. Même la Chine subit son influence comme le démontrent l'insistance actuelle mise sur la production industrielle et l'accord commercial de 10 milliards de dollars récemment intervenu entre Pékin et Tokyo. Ce phénomène n'est présentement étranger à aucun mouvement de décolonisation aussi bien qu'à aucun mouvement de recolonisation. C'est à lui que l'on doit à la fois les guerres et les capitulations, les accords du G.A.T.T. et la coexistence pacifique (guerre froide), les fluctuations monétaires et le Club de Rome, l'accroissement du chômage et celui des profits réalisés par les multinationales, l'inflation en Occident et la famine dans plusieurs régions du Tiers-Monde, les innovations technologiques et l'abrutissement des masses, etc.

On n'insistera jamais assez sur l'importance considérable de ce phénomène, animé par le multinationalisme et qui, on ne l'a pas suffisamment noté, explique en grande partie l'accession au pouvoir du Parti québécois.

En effet, la coca-colonisation de l'économie et du système politique canadien a provoqué, entre autres, la désintégration des intérêts et des valeurs qui, il y a un peu plus d'un siècle, avaient présidé à un *essai* de pays distinct au nord de la république américaine. Ce pays, si jamais il en fut un, *n'existe plus*. C'est cette désintégration « nationale » qui a favorisé le Parti québécois. C'est elle aussi qui explique la multiplication des revendications régionales au Canada. Aux Albertains comme aux Québécois, quelles que soient par ailleurs leurs expériences historiques et sociales, Ottawa apparaît comme une capitale administrative anachronique. Pourquoi en effet se tourner vers Ottawa lorsque le véritable pouvoir (économique) se trouve aux États-Unis?

La grave question des «disparités régionales» ne peut pas être solutionnée à partir d'une capitale fédérale dont la bureaucratie n'a même pas le pouvoir d'exercer un contrôle quelconque sur les investissements étrangers et qui, au contraire, encourage l'appropriation par l'extérieur de l'économie et du territoire.

La démission du pouvoir central a donc favorisé le P.Q. Mais elle l'a également livré pieds et poings liés aux Américains qui, depuis longtemps déjà, contrôlent le développement industriel de l'ensemble du continent.

En «recolonisant» totalement le Canada, les États-Unis en ont favorisé l'éclatement. Non pas, toutefois, pour que le Québec (ou une autre région du Canada) accède éventuellement à la souveraineté politique, mais bien plutôt pour que soit accélérée l'intégration de *toutes* les régions du pays à leur territoire, à leur mode de production, à leur culture et à la guerre (froide ou chaude) qu'ils livrent à l'Union soviétique pour la conquête du monde.

Il n'y a donc, monsieur Lévesque, aucun «soutien compréhensif» à la cause du Québec que vous puissiez obtenir des Américains. Leur gouvernement est devenu plus que jamais celui du multinationalisme et ce «nouvel État industriel», à vocation planétaire, ne peut supporter que l'on considère comme une fin en soi (surtout en Amérique et en Europe) le maintien et le développement indépendant d'une collectivité nationale. Le multinationalisme occidental est au moins d'accord sur un point avec l'empire soviétique: à l'Ouest comme à l'Est, le nationalisme est conçu comme démodé, réactionnaire, nuisible à la croissance industrielle et à la puissance militaire.

Cet antinationalisme est partagé, comme vous le savez, par le Canada anglais où personne n'ose plus vraiment affirmer que le pays *devrait* proclamer son indépendance vis-à-vis de l'empire. Pour les Canadiens, qu'ils habitent Calgary, Toronto ou Moncton, le capitalisme est le seul mode de vie souhaitable et l'intérêt à être ou à devenir nationaliste ne pèse pas lourd face à celui de faire de l'argent, d'accroître son niveau de vie et de consommer le plus possible en se donnant l'illusion du bien-être à perpétuité. À quoi bon s'embarrasser d'un nationalisme qui risquerait de priver les individus de leur part de pitance? Pour avoir refusé l'installation au Canada d'ogives nucléaires américaines, le gouvernement Diefenbaker, qui n'était pourtant pas révolutionnaire, a été renversé et remplacé par celui de Pearson. Depuis l'époque Pearson, aucun chef d'État canadien n'a osé dire non aux Américains.

Quant aux Québécois, croyez-vous réellement, monsieur le premier ministre, qu'ils diffèrent beaucoup des Canadiens anglais à ce chapitre? Bien sûr, leur part de pitance est plus petite que celle des Albertains ou des Ontariens, mais n'ont-ils pas eux aussi pris l'habitude du « ready made » américain?

Le Canada fantoche

Depuis les élections de novembre 1976, on affirme dans le monde entier que le Canada traverse la pire crise politique de son histoire. Jamais il n'est fait mention par les correspondants internationaux des grands journaux que, d'une part, le Canada n'a jamais en tant que tel revendiqué l'indépendance et que, d'autre part, son intégration au marché américain est déjà si avancée que le rapatriement éventuel de sa constitution d'origine britannique ne changerait rien au véritable statut du pays: celui de satellite économique, politique et culturel des États-Unis.

S'il n'y avait eu au Québec une «révolution tranquille», personne au monde n'aurait songé qu'au nord
des États-Unis un pays pouvait exister.

Mais que visait au juste cette révolution tranquille
dont l'évolution semble bloquée aujourd'hui, malgré la
victoire électorale des indépendantistes? Pour certains
«réformistes», il s'agissait d'établir des rapports économiques autonomes ou souverains (c'est-à-dire distincts
de ceux qu'entretient le pouvoir central) avec les États-
Unis, en acceptant comme une nécessité inéluctable
l'américanisation de la production et du mode de
vie, mais en y ajoutant, accessoirement, des rapports
culturels «spéciaux» avec la France (par souci traditionnel de préserver le caractère francophone du Québec). C'est pourquoi la révolution tranquille a surtout
été marquée par des revendications à caractère fiscal.
Québec voulait récupérer si possible l'entier pouvoir fiscal afin de mener à sa guise ses affaires «américaines».
Bref, il voulait négocier lui-même les modalités de sa
dépendance.

«Maîtres chez nous», cela voulait dire établir ou
plutôt renforcer un axe nord-sud pour le commerce, les
investissements, l'exploitation des richesses naturelles,
la mise en valeur des sources énergétiques, les communications, etc., en se dispensant des coûts financiers
du maintien fictif d'une «unité nationale» pan-canadienne. L'axe transcontinental est-ouest que l'Acte de
l'Amérique du Nord britannique avait voulu créer en
1867 ayant surtout profité à l'Ontario, pourquoi le
Québec chercherait-il à le maintenir artificiellement
alors qu'il serait beaucoup plus rentable pour lui de
conclure des ententes directes avec les États-Unis?

D'un côté donc, récupération de la fiscalité. De
l'autre, marché commun Québec-États-Unis. En marge,
des relations culturelles particulières avec la France.

Tels étaient les objectifs poursuivis par le gouvernement Lesage. Tels sont encore aujourd'hui, semble-t-il, ceux que défendent contre Ottawa les ministres Morin et Parizeau.

Si cet objectif n'a rien de très ambitieux et si surtout il n'a absolument rien à voir avec l'indépendantisme, il a au moins le mérite d'entrer parfaitement dans la logique américaine.

Monsieur Lévesque, il est certain que les Américains ne s'opposent nullement au renforcement du marché commun Québec-États-Unis. Vous connaissez mieux que moi les liens étroits qui existaient entre Jean Lesage et les financiers de Wall Street. Ce qu'ils récusent, ce n'est pas la volonté du Québec de prendre ses distances vis-à-vis d'Ottawa (l'Alberta le fait bien), c'est le nationalisme social-démocrate qui anime une large faction du Parti québécois. Vous pouvez vous imaginer facilement que si le gouvernement Diefenbaker était trop nationaliste pour eux, les Américains n'ont nulle envie d'encourager les idées socialisantes de certains de vos ministres et encore moins l'antiaméricanisme (ouvert ou latent) qu'affichent bon nombre d'indépendantistes depuis 1960. Que vous, personnellement, soyez un « bon diable » ne change rien au courant que charrie le Parti québécois. C'est à ce courant qu'ils ont décidé de barrer la route *à n'importe quel prix*.

C'est ainsi qu'il faut comprendre la « préférence non indifférente » de Washington pour un « Canada uni et fort ». De toutes façons, partout au Canada la domination américaine provoque moins d'inquiétude dans la population que les problèmes sociaux et politiques. En choisissant le Canada, les États-Unis en somme optent pour eux-mêmes.

Les Américains savent très bien qu'entre-temps les establishments régionaux (de la Colombie britannique à

Terre-Neuve) vont continuer de se livrer une farouche concurrence pour l'obtention d'investissements étrangers de plus en plus importants et que cette course aux investissements rapproche de jour en jour le moment de l'intégration politique du Canada aux États-Unis.

N'est-ce pas Jacques Parizeau qui admettait le 7 décembre dernier à Edimbourg (Écosse) que d'ici 10 à 15 ans, l'union douanière canado-américaine serait chose faite et que l'Amérique du Nord est vouée à l'unification économique? Quel pourrait bien être alors le statut politique du Québec? Et celui des autres régions canadiennes? Il serait difficile que leur soit « conféré » plus d'autonomie que celle dont jouissent présentement les États de l'union américaine. Autonomie de plus en plus réduite, d'ailleurs, et dont la Commission trilatérale souhaite présentement l'abolition.

Il ne faut donc pas se méprendre sur le « Canada fort » dont parlent ces jours-ci les Américains. C'est en fait d'un Canada fantoche dont ils revendiquent la « protection ». Un Canada faible et agonisant, voilà ce qu'ils appuient. Un Canada aussi friable est impossible sans un Québec « mou ». D'où l'hostilité américaine à votre gouvernement. Vous aurez beau, monsieur Lévesque, promettre mille fois la participation entière du Québec à l'Alliance atlantique, à l'O.T.A.N. et à N. O. R. A. D., rien n'y fera. Ce que la Maison-Blanche veut, c'est la disparition pure et simple du nationalisme.

Pour y parvenir, Washington, politiquement secondée par le pouvoir central, le Comité Castonguay, le Parti libéral et les média, n'hésitera pas une seconde à utiliser les grands moyens. Les Québécois seront invités à comprendre une fois pour toutes qu'ils ne peuvent indéfiniment s'accrocher à leur « différence » et qu'ils feraient un bien meilleur placement en choisissant la *pax americana*. L'invitation sera d'autant mieux comprise, le moment venu, que votre gouvernement multiplie lui aussi (comme s'il était de connivence avec ses adversaires) les appels à la « raisonnabilité » et à la « productivité ».

Semblable perspective risque de surprendre ceux qui s'imaginent que l'essor culturel des années 1960 pourra à lui seul sauver le Québec de l'annexion aux États-Unis. Ceux-là oublient que le développement culturel au Québec s'est accompagné aussi des progrès de Télé-Métropole, de Télémédia, de Radio-Mutuel, des journaux à sensation, de la concentration de la presse, etc., phénomènes qui ont ceci en commun de renforcer au Québec l'impérialisme idéologique des États-Unis.

Ce n'est plus seulement dans le porte-monnaie mais aussi dans la tête que le Québécois devient de plus en plus américain.

La continentalisation de l'économie conduit rapidement à l'homogénéité culturelle. Il n'est pas surprenant que le fédéralisme canadien, conçu en 1867 pour construire un axe commercial et financier est-ouest, ne puisse survivre aujourd'hui. Chaque région du pays se développe suivant un axe nord-sud. Pour le Québec, comme pour les autres régions, le capital américain est devenu ce cordon ombilical sans lequel il semble impossible de respirer et les valeurs américaines sont devenues l'unique « patrimoine idéologique » auquel il se réfère dans sa vision du monde.

Est-ce pour cette raison, monsieur le premier ministre, que votre gouvernement ne cesse d'insister sur la « rentabilité » de la souveraineté-association ? Est-ce parce qu'il ne serait plus possible aujourd'hui d'envisager l'avenir en dehors du « train de vie » américain ?

Tout le monde sait pourtant qu'aucune indépendance n'est réalisable sans une nationalisation poussée de l'économie, c'est-à-dire sans une intervention énergique de l'État dans les affaires maintenant réservées aux multinationales. Mais pour nos gouvernements, y compris celui du Parti québécois, les multinationales semblent exister par nécessité historique. Tout au plus songe-t-on timidement, avec énormément de précautions oratoires, à associer l'État « national » (minoritairement, bien sûr) à l'une ou l'autre des *rentables* activités de l'État réel, celui des grandes entreprises. (Ce qui revient à associer le grand public au financement du multinationalisme.)

Vous me direz, monsieur Lévesque, que vous ne désirez nullement que votre gouvernement connaisse le même sort que celui que les multinationales et la C.I.A. ont réservé au Parti socialiste de Salvador Allende au Chili. Et, pour la centième fois, vous me traiterez de « pelleteux de nuages ».

Pourtant, n'est-ce pas vous, monsieur le premier ministre, qui avez déclaré devant l'Economic Club de New York que l'indépendance du Québec se réaliserait en dépit de tous les obstacles ? Un peu plus tard, nous avons cru comprendre que cette indépendance était recherchée vis-à-vis du pouvoir central mais non vis-à-vis des États-Unis. Puis, enfin, on s'est aperçu que le principal objectif du gouvernement était de « libérer » les Québécois du fardeau des impôts fédéraux pour leur permettre collectivement d'occuper de meilleures places dans le train américain.

Alors pourquoi ne pas revendiquer ouvertement pour le Québec un statut d'État associé à l'Amérique ? Pourquoi faire semblant d'offrir des accords de réciprocité à un Canada en voie de désintégration ? Je suis d'ailleurs persuadé que plus d'une province canadienne

serait prête à solliciter un « statut américain » semblable
à celui que connaît déjà Porto-Rico.

Le maintien d'une unité nationale plus bureaucratique que réelle coûte en effet très cher aux dix provinces du pays. Sans compter que le pouvoir central a
tendance à s'ingérer directement dans leurs affaires.
Aussi, quand la Commission Carter proposa une meilleure rationalisation des structures fiscales du Canada,
les provinces s'y opposèrent-elles en bloc. Car rien ne
les indispose autant que toute mesure qui viserait à contrôler ou à tamiser les conditions d'entrée du capital
étranger au Canada. La fédéral ne tarda pas à ranger
sur les tablettes les recommandations Carter et, depuis
lors, il a laissé le capital étranger libre de se déplacer
comme il l'entendait d'une province à l'autre. Pour conserver les rênes du pouvoir à Ottawa, le Parti libéral a
totalement renoncé à exercer le moindre leadership en
matière économique. Depuis l'arrivée de Pierre Trudeau
à la direction de l'État fédéral, c'est l'immobilisme
absolu.

Dans ce contexte « libre-échangiste », les travaux
de la Commission Pépin-Robarts ne conduisent nulle
part. Aucun changement constitutionnel ne peut avoir
de signification dans un pays qui s'est donné des
moyens aussi efficaces de désintégration. En fait, la
crise de « l'unité canadienne » se résume au refus des
anglophones de partager à parts égales avec les francophones la gestion des profits du continentalisme.

Lorsqu'en janvier dernier, David Rockefeller, président de la Chase Manhattan Bank, déclarait à Toronto
que le projet péquiste de souveraineté-association in-
quiétait moins les investissements américains que l'agitation sociale suscitée par le climat tendu des relations
entre francophones et anglophones, il n'appuyait pas la
thèse indépendantiste. L'inventeur de la Commission

trilatérale soulignait simplement que le Canada devait se résoudre au développement d'accords économiques régionaux suivant l'axe nord-sud et accepter le caractère inéluctable de la complémentarité, c'est-à-dire de la dépendance.

Que cette complémentarité par régions conduise inévitablement à l'éclatement du régime fédéral n'a aucune importance pour le mutinationalisme. Ce n'est là en effet qu'une conséquence «naturelle» parmi d'autres du progrès économique. La seule chose que le multinationalisme ne peut accepter est la perspective que le gouvernement du Québec utilise le nationalisme pour rapatrier l'économie. Il serait mal venu d'ailleurs de «concéder» à Québec ce qu'il a toujours refusé avec acharnement à Ottawa.

Rockefeller, porte-parole officiel des multinationales, sait parfaitement bien que si le gouvernement du Parti québécois accepte de se plier aux règles du jeu établies par l'empire, il n'y aura aucun risque que le nationalisme ne conduise éventuellement au socialisme, voire même à l'indépendance formelle. Ce qui l'ennuie davantage, ce sont les prétentions des Canadiens à maintenir «l'unité nationale» et celles des Québécois à vouloir y opposer leur propre «projet national». La perspective de voir éventuellement les deux peuples fondateurs s'engager dans une «guerre de sécession» a de mauvaises répercussions sur la marche des affaires... américaines. Le Canada doit se désintégrer, c'est un fait, mais qu'il le fasse donc en paix!

Il sera intéressant de voir comment Claude Morin pourra donner un contenu original à la formule de souveraineté-association. Cette formule existe déjà. Le Canada en effet est depuis au moins trente ans «souverainement associé» aux États-Unis. Cette souveraineté-association se déplace maintenant du côté des provin-

ces, en fonction des intérêts régionaux plutôt que « nationaux ». Il n'y a plus qu'au Québec où l'on fait coïn-
cider région avec nation. Les États-Unis n'ont pas du
tout envie de voir émerger au Québec un nouvel État
national qui pourrait risquer de basculer à gauche ou
encore d'affirmer son indépendance. Dans un premier
temps donc, ils favorisent l'unité politique du Canada
pour bloquer les aspirations québécoises. Dans un
deuxième temps, une fois vaincu « le péril séparatiste »,
le moment sera venu pour les États-Unis d'absorber le
Canada.

Tout cela doit se réaliser si possible *en douceur,*
sans guerre ni confrontation, sans querelle linguistique
ni compétition intempestive.

Les scorpions associés

Vous aimez, monsieur Lévesque, comparer la
situation au pays à l'emprisonnement dans une bouteille
de deux scorpions qui s'empoisonnent l'existence
mutuellement. Cette image, empruntée à Churchill, (un
souvenir de la Deuxième Guerre mondiale sans doute),
vous sert à illustrer les conflits linguistiques et constitutionnels qui, depuis 1760, ont dominé les relations
entre le Québec et le reste du Canada.

La bouteille, selon vous, c'est le régime fédéral
Made in Britain, illustrée du sceau royal, la bouteille
est devenue propriété américaine avant même que ne
débute au Québec la révolution tranquille des années
1960.

Personne ne doute que cette bouteille soit fêlée et
sur le point d'éclater. Les scorpions, hélas, n'en sorti-
ront guère en meilleure santé. Eux aussi sont considérés
comme étant la propriété des États-Unis. Et les États-

Unis ne sont pas intéressés à leur permettre une trop large mesure d'autonomie.

Les deux scorpions eux-mêmes plaident d'ailleurs la cause américaine. Toujours enfermés dans la bouteille fédérale, ils voient tous deux la liberté du même côté. Quand la bouteille s'ouvrira, ils se jetteront tous deux dans les bras de l'Oncle Sam. Oh délivrance!

À Paris, vous disiez aussi, monsieur le premier ministre, que « si une vraie démocratie doit pouvoir s'installer partout (dans le monde), il faut à une société *que la tâche intéresse* la pleine et entière liberté de le faire à sa façon, selon ses priorités. (...) Cela appelle des moyens législatifs et financiers que le Québec ne possède pas actuellement et qu'il ne peut trouver que dans l'accession à la souveraineté. » Bien dit. Mais comment concilier cette exigence de liberté avec la pratique actuelle de votre gouvernement, avec le discours économique conservateur de Jacques Parizeau, avec le discours politique américain de Claude Morin, avec le discours syndical corporatiste de Pierre-Marc Johnson, avec le discours carrément réactionnaire de Rodrigue Tremblay et l'absence de discours du « radical » Jacques Couture?

Comment réconcilier le discours parisien avec le discours québécois? L'effort de libération avec les rappels multipliés à la modération, à la prudence, à la raisonnabilité, à la concertation et à l'attentisme?

« Si une vraie démocratie doit pouvoir s'installer partout... », il faudra d'abord la revendiquer *contre* le nouvel ordre économique, social et politique que le multinationalisme est en train d'édifier. Un nouvel ordre qui s'accommode mal des démocraties existantes en Occident et qui réclame avec insistance leur transformation autoritaire.

La Commission trilatérale a reçu le mandat de réaliser un triple objectif. Premièrement, domestiquer les peuples plébéiens (ceux des pays industrialisés) et assurer leur docile consommation standardisée de pain, de jeux et de gadgets. Deuxièmement, élaborer la stratégie à plus long terme de l'agression capitaliste contre les peuples pauvres de la «périphérie» (où vivent les deux tiers de l'humanité). Troisièmement, forcer l'intégration du bloc soviétique à la société riche, à la fois par la guerre et par les investissements.

Jamais le nouvel État industriel n'a été aussi déterminé à réaliser la société-caserne décrite par George Orwell dans *1984*. Une société «normalisée», productive et esclave *volontaire,* dont l'actuel conseiller du président Carter en matière de sécurité et ex-directeur de la Commission trilatérale, a tracé les grandes lignes dans de nombreux ouvrages. Zbigniew Brzezinski, monsieur Lévesque, a dû «recevoir» votre discours de Paris comme une atteinte à la raison, à la science et au leadership des États-Unis.

La fascination trouble qu'exercent depuis dix ans le nazisme et le stalinisme n'est peut-être pas sans rapport avec l'établissement du nouvel ordre industriel mondial. De même, l'accroissement vertigineux des budgets gouvernementaux affectés au renforcement de la paix sociale (armées, polices, tribunaux, outils électroniques de surveillance); le développement prodigieux du commerce des armements; la fabrication de la bombe à neutrons; la généralisation des communications par satellites; la restriction un peu partout des «libertés civiles»; la multiplication des rencontres «au sommet» visant à *concerter* les politiques de répression (sous prétexte de lutte au terrorisme) aussi bien que les politiques économiques, monétaires ou commerciales.

La nouvelle génération d'intellectuels a parfaitement raison de pointer du doigt le *Goulag* qui progressivement enferme les hommes dans une existence inhumainement *planifiée*.

Alors que la bande à Baader et, plus près de nous, le F.L.Q. ont réussi à semer la panique chez les bien-pensants, personne ne paraît s'inquiéter du pouvoir planétaire et dictatorial des multinationales et de leurs agents politiques, policiers, militaires et scientifiques. Personne ne s'émeut vraiment du fait que, chaque jour, 12 000 personnes meurent de faim sur la terre et que le monde dans lequel nous vivons est un immense Auschwitz, un véritable camp de concentration. Le vieux langage humaniste ne génère qu'indifférence, lâcheté, hypocrisie et meurtres *légaux*. Ce vieux langage, que retrouve le P.Q. au pouvoir et dont Claude Ryan a fait une « dialectique » de la stabilité, est toujours utile au règne du capital. Car il implique une morale capitaliste. Comme le soulignait Edgar Morin dans son *Autocritique,* « La morale antérieure au fascisme, dont justement le fascisme est issu, est naturellement la morale humaniste bourgeoise, celle qui (comme chez Lionel Groulx, dirions-nous) glorifie l'homme abstrait et couvre de silence le meurtre quotidien de l'homme concret ».

La morale et le langage bourgeois (catholique, protestant ou laïc) charrient ensemble la raison d'État, la raison du plus fort, la raison de la Raison. Il ne faut donc pas s'étonner que le cynisme s'y débrouille mieux que la justice.

Zbig « Daddy » Brzezinski

En matière de cynisme, Zbigniew Brzezinski ne le cède à personne. Tout le monde se rappelle sans doute son «Bye, Bye, O.L.P.» par lequel il annonça aux pays arabes, conviés à faire la paix avec Israël, que le peuple palestinien n'avait plus qu'à rentrer sous terre... pour que le pétrole en jaillisse plus facilement.

Le conseiller de Carter a beaucoup écrit et il ne s'embarrasse pas de phrases inutiles pour dire ce qu'il a à dire. Et voici d'abord ce qu'il dit: «La politique de l'an 2000 ne relèvera plus des gouvernements mais des hommes d'affaires *d'avant-garde*». C'est la manière brzezinskienne d'appliquer les célèbres thèses léninistes sur le retard «idéologique» des *paysans*. Les hommes politiques (qui ne sont pas membres de la Commission trilatérale) sont des paysans qu'il convient d'exproprier de leur pouvoir actuel, car ils constituent un obstacle à l'établissement harmonieux de la société de *demain*.

À votre discours de Paris, Brzezinski répond sans détour: «la démocratie est tout à fait révolue, nous entrons dans une ère nouvelle, finies les folies». Dans son livre le plus célèbre, *Between Two Ages,* écrit en 1970, le commissaire principal de la Maison-Blanche propose, entre autres, l'abolition des distinctions traditionnelles entre les organismes publics et privés, entre les gouvernements et les grandes entreprises. Il précise que l'Amérique du Nord (y inclus, cela va de soi, le Canada et le Québec), l'Europe et le Japon doivent désormais se concerter et *s'unifier* pour jeter les fondements d'un système unique d'information, d'un programme commun d'éducation et d'une division «plus rationnelle» du travail dans les domaines de la recherche, de la technologie et du développement. Cette «communauté des sociétés développées» devrait aussi se doter d'un régime fiscal unique et global. Au bout de ce processus, déjà largement amorcé à travers l'O.T.A.N., le G.A.T.T., le Fonds monétaire international et la Banque mondiale, on instituerait un gouvernement unique. Il ne s'agirait pas, bien entendu, d'un « parlement mondial » mais plutôt d'un *exécutif* trilatéral dont les membres seraient cooptés par les multinationales. Le « management » international succéderait ainsi à la démocratie, de façon aussi « normale » que le fascisme dans les années 1930 naquit de l'humanisme libéral.

Aussi n'est-ce pas étonnant que Brzezinski se fasse, depuis au moins 10 ans, le propagandiste de l'abolition des structures et des compétences que possèdent encore au cœur de l'empire, les États de l'union américaine. Il appelle également de tous ses vœux la fin prochaine des États-nations d'Europe et dénonce avec violence l'anachronisme des indépendances nationales dans le monde industriel (multinational) d'aujourd'hui. Selon lui, une nouvelle « architecture mondiale » s'impose pour que les citoyens puissent bénéficier des « grands changements qui vont se produire d'ici l'an 2000 ».

Face aux réalités nouvelles, écrit Brzezinski, les souvenirs historiques pèsent bien peu. La nostalgie ne sert plus à rien. Le progrès va plus vite que l'histoire. Le seul moyen de ne pas être balancer par-dessus bord est de s'engager à fond dans « le torrent de changement » qui s'apprête à bouleverser complètement l'ordre de la planète sous le leadership *incontestable* de la grande entreprise, de la puissance et de la technologie américaines.

En tant que chef d'orchestre de la politique étrangère des États-Unis, Brzezinski vise donc en 1978 l'établissement de nouveaux rapports économiques et politiques entre les États-Unis et leurs « partenaires », afin de donner au « bloc occidental » une supériorité industrielle et militaire *indépassable,* une puissance telle qu'elle pourrait obliger les pays de l'Est à s'intégrer à l'Ouest «pour des motifs économiques et politiques». En attendant le grand soir de la réconciliation capitaliste des «frères ennemis», l'Ouest doit d'abord s'unifier et éliminer de ses structures, de ses institutions et de son mode de vie les rivalités politiques, économiques et culturelles qui ont trop souvent l'allure de compétitions sauvages où tous les coups bas sont permis (et presque toujours sont dirigés contre «l'avant-garde» américaine).

Bref, selon le maître à penser du président Carter, il faut dépouiller «le monde libre» de sa liberté politique pour le conduire sur le chemin d'un développement harmonieux, planifié et prospère. Ce développement doit nécessairement relever des multinationales qui ont déjà réalisé la concentration du pouvoir économique et qui possèdent les capitaux, les équipements, la technologie, les grandes industries, et de ce fait détiennent la clef de l'équilibre monétaire, de la production et du niveau de vie.

Pour bien faire comprendre à tout le monde *la voie à suivre,* les multinationales entretiennent délibérément l'actuelle crise économique, suscitent l'inflation et le chômage, forcent la dévaluation du dollar (ce qui oblige l'Europe et le Japon à financer en partie les problèmes de l'économie américaine), accélèrent la disparition de pans entiers d'activités dans les pays industrialisés (comme l'industrie textile au Canada et au Québec) et procèdent ainsi à une nouvelle division internationale du travail, au mépris des besoins et des aspirations des peuples concernés.

Cette planification s'opère unilatéralement. Elle provoque déjà un brassage sans précédent en Occident, où seuls les plus habiles et les plus forts sont appelés à gagner. Les autres glisseront à la périphérie de l'économie, de la culture et de l'histoire. Des pays entiers sont voués à la marginalisation. Les plus «rentables» seront étroitement associés aux États-Unis; les plus démunis seront brutalement réduits à l'esclavage.

Parmi les alliés privilégiés que l'empire veut à tout prix s'attacher figurent, en plus du Canada, l'Allemagne fédérale, la Grande-Bretagne, la France et le Japon. Mais les États-Unis œuvrent aussi au renforcement d'aures États «à vocation internationale récente», comme l'Iran, le Brésil, le Nigéria et l'Indonésie. Que ces «nouvelles puissances» soient gouvernées par des «gorilles» indique assez bien la préférence des États-Unis pour les régimes musclés.

La leçon de géopolitique «avant-gardiste» que Brzezinski est en train de servir aux «amis» de l'Amérique s'accompagne de pressions de plus en plus fortes en vue de leur faire admettre *une fois pour toutes* une association économique incluant une monnaie commune (qui ne serait pas nécessairement le dollar actuel), des tarifs douaniers communs (dirigés contre le Tiers-Monde), la suppression des douanes à l'intérieur des «nouvelles frontières» de l'État industriel, le renforcement du système commun de défense, etc.

Il est curieux de constater, monsieur Lévesque, que les vues d'un Claude Morin en matière de souveraineté-association s'apparentent de très près aux idées et aux objectifs de Zbigniew Brzezinski et de la Commission trilatérale. Si les thèses souverainistes de Claude Morin triomphent au sein du cabinet et du parti, le Québec offrirait ainsi au Canada l'essentiel de «l'arrangement» que les États-Unis proposent déjà à leurs alliés! Ah ces Québécois, doit se dire Zbig Daddy, ancien diplômé de l'Université McGill, si au moins ils n'étaient pas aussi nationalistes et aussi pervertis par les gauchistes!

Je n'irais pas jusqu'à soupçonner Claude Morin d'appartenir secrètement à la Commission trilatérale où son ami Claude Catonguay a déjà l'honneur de siéger. Dieu me garde de semblables calomnies! N'empêche que...

Après la publication, l'an dernier, d'*Un Québec impossible,* Claude Morin m'a dit au Café du Parlement que je n'avais pas compris toute la «subtilité» de sa stratégie référendaire. Je conviens qu'il est difficile de comprendre ce qui se prépare dans le plus grand secret. Mais chaque fois que Claude Morin ouvre la bouche, c'est pour contredire ses collègues plus radicaux ou pour rassurer la Maison-Blanche. Et chose plus importante, vous savez comme moi jusqu'à quel point votre ministre est acquis au principe brzezinskien que *tout est négociable* quand on est assez intelligent pour renoncer à tout idéal.

Je trouve également curieux que les partisans favorables à la souveraineté-association et ceux qui lui sont opposés se regroupent avant même de savoir exactement ce qu'elle signifie. Le Comité Morin et le Comité Castonguay se déclarent la guerre sans que les troupes ne sachent encore à quel camp elles appartiennent vraiment. Et si tout le monde en 1979 ou en 1980 se retrouvait dans le même camp, qu'en diriez-vous? La bataille du référendum aura-t-elle lieu, comme demanderait Giraudoux? Je me surprends soudain à imaginer Morin et Castonguay en pattes de devant et en pattes de derrière du même cheval de Troie.

Le point de non-retour

Monsieur le premier ministre, les années qui viennent seront déterminantes. Ou bien le Québec, malgré la vague indépendantiste des années 1960-1970, s'installera à demeure dans son rôle marginal de filiale américaine; ou bien il deviendra la matrice d'une nouvelle forme de société et de progrès humain.

L'enjeu dépasse de beaucoup celui du prochain référendum. Trop longtemps résignés aux paris perdus, aux occasions manquées, aux reculs « stratégiques » vers la droite, nous avons beaucoup de peine à maintenir vivant un idéal de changement radical et surtout à l'opposer avec entêtement aux visées hégémoniques des Américains. L'espérance, c'est pour les autres. Pour nous, l'incorrigible et stupéfiant refus du combat. Pour nous, le refuge dans la soumission sécurisante... ou encore, pour une minorité, la révolte solitaire et écorchée.

Sous votre administration « responsable », l'indépendantisme québécois est devenu une cruche qui se vide rapidement de tout contenu. Certains de vos admirateurs prétendent que l'eau finira par se changer en vin. Je sais que bien des Québécois demeurent friands de miracles. Mais l'espérance elle-même est réversible.

Malgré la grisaille qui enveloppe l'étapisme cher à Claude Morin, le Parti québécois accepte très mal que l'on mette en doute la *sincérité* de sa démarche. Toute critique est suspecte d'être « inspirée » par le pouvoir central ou par l'extrême gauche. Comme aux derniers moments du *Jour,* l'épouvantail du désordre et de l'anarchie est agité du haut de la chaire.

Promouvoir une action révolutionnaire, anticapitaliste et donc nécessairement *antiaméricaine* demeure, comme au temps de Duplessis et de Lionel Groulx, un crime, une conspiration antiquébécoise ourdie par *l'étranger,* une idée malpropre.

Il faudrait admettre bêtement que le Parti québécois n'a d'autre choix que de réunir sous des couleurs trompeuses l'autonomisme de Duplessis, le néogaullisme timide de Johnson, le réformisme social de Lesage, le conservatisme fiscal de Bourassa et l'autoritarisme de l'Église.

Muni d'un bagage politique aussi *unioniste,* il ne serait pas surprenant que le Parti québécois finisse par découvrir une «logique certaine» au projet stabilisateur de Claude Ryan. Celui-ci n'affirme-t-il pas d'ailleurs que le Québec peut être «libre» tout en demeurant «associé» au Canada? Ryan s'oppose à ce qui dans le vocabulaire péquiste *fait illusion.* Il ne s'oppose pas, en réalité, au nouvel accord, au nouveau «pacte» constitutionnel que préparent vos experts sous la supervision rassurante de Claude Morin. Mais lui, Ryan, contrairement à vous, monsieur Lévesque, il n'a pas les indépendantistes dans les jambes. Il n'a pas à leur faire de concessions puisqu'il ne leur a jamais rien promis et que, de plus, il les déteste. Il n'a pas besoin non plus de courtiser l'Union nationale; il peut se payer le luxe de vous laisser Rodrigue Biron. Tous les conservateurs, autant ceux du Parti québécois que les autres, viendront d'eux-mêmes «manger dans sa main».

Ryan, qui lit avec assiduité les publications américaines, a rapidement compris après le 15 novembre 1976 que l'hégémonisme atlantique de Washington ne pouvait tolérer davantage le séparatisme que l'eurocommunisme. Il s'est donc engagé à satisfaire pleinement au Québec les ambitions brzezinskiennes. Du coup, les média l'ont promu au rang de «sauveur».

Dans les rangs péquistes, on voudrait faire le plus de pas qu'il soit possible de faire *en avant.* Mais dans tous les domaines resurgit la peur. Peur que Rockefeller ordonne la fermeture du robinet des investissements...

Peur que le Royal Trust suive la Sun Life à Toronto...
Peur d'une répétition du « coup de la Brink's »... Peur
que Brzezinski... Peur que la C.I.A... Peur que les gens
aient peur... Comme les vieilles personnes qui s'apprê-
tent à partir en voyage, on a peur qu'en route il vienne
à *manquer* quelque chose. On s'attarde, on tourne en
rond et, finalement, on rate le bateau.

Ainsi, après avoir promulgué le français comme
seule langue officielle du Québec, on s'apprête à faire
de Montréal une « zone franche » au point de vue linguistique et peut-être aussi au point de vue fiscal. Parce
que le rédacteur en chef de *Newsweek* et maire-adjoint
de New York, Osborn Elliott, juge que la loi 101 est
« anti-hommes d'affaires » et « particulièrement oppres-
sive » *(Le Devoir,* 10 mars 1978), le gouvernement
ordonne un nouveau « recul stratégique » afin, espère-
t-il, d'offrir aux milieux financiers américains une image
moins « négative » de lui-même.

Comment ce gouvernement pourrait-il avoir « le
goût du Québec » au point d'en faire un pays indépendant ?

De concessions en concessions, le chemin est court
qui mène à la reddition.

Lettre 4

VERS UNE SOCIÉTÉ DU PLUTONIUM?

Comme toutes les sociétés industrielles, le Québec est depuis longtemps obsédé par la prétendue nécessité d'un gouvernement fort et uniforme. L'État y a souvent été perçu comme l'instituteur, le gendarme et le créateur d'un *consensus* pouvant aller jusqu'à la servitude volontaire. Plus une société est menacée dans ses représentations traditionnelles de la culture, de la politique et de l'économie; plus elle est menacée dans son marché (qui est l'archétype des concepts propres à la société individualiste et libérale); plus elle éprouve le sentiment de sa vulnérabilité, plus également elle a tendance à s'affirmer comme une totalité, un espace homogène, une population uniforme. Du même coup, elle risque de s'armer d'un nationalisme totalitaire, d'une législation autoritaire, d'un parti politique privilégié chargé d'appliquer *à tous* des «lois productives d'égalité».

Telle est l'essence même du duplessisme (et également du stalinisme).

Peut-on affirmer en 1978, monsieur le premier ministre, que le Parti québécois échappe au duplessisme? À mon avis, tout comme le Parti libéral et l'Union nationale, le Parti québécois est tenté de concevoir la société comme un monopole. C'est au nom de l'égalité que ce monopole est défendu par tous les partis. Alors qu'au contraire, c'est au nom de la diversité et de l'autonomie des individus que les mouvements actuels de «la nouvelle culture» contestent les monopoles sociaux dans les domaines aussi bien administratifs que culturels, aussi bien technologiques que politiques.

Le pluralisme idéologique et social se trouve au cœur des revendications contemporaines. Paradoxalement, c'est au nom du *droit à la différence* pour le Québec que votre gouvernement, sous prétexte de vouloir abolir les inégalités dont les Québécois sont victimes en Amérique du Nord, propose l'idée d'une souveraineté égalitaire, d'un centralisme idéologique fondé sur la *conservation* de l'identité nationale. Mais comme les bases matérielles de l'idéal libéral ont disparu ; comme il est impossible en 1978 de rééditer la rébellion des patriotes de 1837, *l'étatisme* vous paraît être l'unique moyen de créer un «Québec libre». Et là vous retrouvez Lionel Groulx et sa hantise d'un «État national français» et d'un «chef national fort». Là aussi vous retrouvez l'intolérance du clergé traditionnel (gardien des «richesses nationales») vis-à-vis des dissidents, des critiques, des *autres*.

Ce serait si beau, n'est-ce pas, monsieur Lévesque, si tous les Québécois étaient semblables, pensaient en même temps les mêmes choses, vibraient aux mêmes accents, chantaient une même chanson. Un drapeau, un hymne national, un État, un chef, un parti: et c'est le bonheur pour tous, la sécurité assurée, la fin des troubles! Pourquoi, pensez-vous, la démocratie libérale a-t-elle un jour engendré le fascisme? Pourquoi aujourd'hui les démocrates péquistes et libéraux, en dépit de leur opposition, sont-ils unanimes à prêcher la stabilité comme élément indispensable de paix sociale, c'est-à-dire comme instrument de subordination des individus et des groupes au monopole social, à la *totalité* nationale, au totalitarisme de l'État ?

Parce que, même en régime démocratique, les classes dominantes ont toujours recherché à refouler les divisions et les contradictions sociales par des voies autoritaires (par le droit uniforme, par la police, par les tribunaux, par l'institutionnalisation des partis politiques, etc.) Pour éviter que leurs privilèges soient contestés, elles ont refoulé la diversité sociale au lieu de l'assumer. Elles ont nié l'autonomie des groupes, des classes, des individus « inférieurs » en les emprisonnant dans l'égalité/uniformité du droit. La maxime qui veut que « tous soient égaux devant la loi » pouvait avoir une signification lorsque la société n'était formée que de petits propriétaires individualistes et atomisés. Aujourd'hui, dans une société dominée par le capitalisme de monopole, l'égalité ne se mesure plus en termes de pouvoirs ou de libertés individuelles mais en termes de pouvoirs et de libertés impérialistes.

Comme les individus, les nations dominées par le multinationalisme sont tentées de se replier sur un individualisme libéral archaïque ou encore de rechercher un contrepoids étatique dans une forme quelconque de collectivisme. J'entends ici par individualisme archaïque l'égalité dans l'uniformité sociale, et par collectivisme la *centralisation* de cette égalité dans l'uniformité.

L'un des premiers à comprendre l'efficacité et la rentabilité de « la destruction des singularités » fut le cardinal Richelieu. Richelieu se fit l'artisan de l'unification de la France en détruisant les minorités et les oppositions. L'unicité nationale renvoyait à l'affirmation de l'unicité de l'homme, et l'homme n'était un homme qu'en autant qu'il correspondait à la définition que Richelieu en donnait. Si le postulat philosophique de l'unicité de l'homme est hautement contestable, que ne doit-on dire du postulat politique de l'unicité d'un corps social *national*?

Le capitalisme libéral des XVIIIe et XIXe siècles a fait de l'État-nation un *absolu*. L'histoire démontre le caractère arbitraire de cet absolu. Dans combien d'États y a-t-il aujourd'hui des «minorités nationales, ethniques et culturelles» en quête d'autonomie? Le Québec lui-même conteste depuis toujours «l'absolu national canadien». Mais en même temps qu'il se révolte contre l'unicité abstraite du Canada, le Québec est tenté de se représenter lui-même comme une «unité nationale» tout aussi abstraite, d'où le mépris dans lequel on laisse végéter les Amérindiens et la peur que l'on éprouve vis-à-vis des autres minorités linguistiques. Sans compter ce «camp des traîtres» où l'on refoule ceux des Québécois dont la pensée et l'action ne sont pas conformes aux mots d'ordre du jour.

Voilà pourquoi, monsieur le premier ministre, il vous est si difficile de «démocratiser» la société en échappant aux tentations totalitaires (dont les journalistes du *Jour* ont été, il y a deux ans, des victimes «exemplaires» et auxquelles plusieurs militants péquistes sont à leur tour confrontés). À ce chapitre, je dois préciser que Claude Ryan est prêt à accomplir beaucoup plus que vous. Pour Ryan, en effet, *il va de soi* que le totalitarisme devienne la forme de «l'idéal libéral» dans une société qui se veut productive et intégrée *sans problèmes* au marché nord-américain. Vous, monsieur Lévesque, vous êtes, si je puis dire, un autoritaire tourmenté. Vous êtes divisé entre la dimension multinationale de la croissance industrielle (et donc l'ouverture libre-échangiste avec l'étranger) et la dimension québécoise du concept de nation à inventer,

à créer et donc à *discipliner* (culturellement et politiquement surtout, puisque dans le domaine économique votre intervention se révèle plutôt timorée).

Mais pour vous comme pour Ryan, on dirait qu'il
n'y a qu'une histoire possible, celle de «notre maître le
passé», celle du *déjà vu*. Celle du «statut particulier».

On retrouve un discours politique tout aussi *identitaire* au Canada anglais. Un discours où Trudeau puise
la justification d'un État central fort et où la G.R.C.
trouve les raisons de ses agressions sournoises contre
le Québec. C'est ainsi qu'un discours identitaire mène
souvent au totalitarisme.

Pourquoi le Québec répondrait-il au discours de
Trudeau par une philosophie globalisante et dont les
concepts seraient centralisés par la compétence présumée d'une poignée d'experts *choisis*? Quel avenir
peut-il y avoir pour une société qui se laisse contrain-
dre à penser et à vivre «sous la protection de l'État
éducateur et gendarme»? Pourquoi l'État, en voulant
se mettre au service d'une libération nationale, ne
trouve-t-il rien de mieux que de se transformer en
Église? Pourquoi les partisans et les adversaires de la
souveraineté-association s'affrontent-ils à coups de
«vérités révélées»? Pourquoi, d'un côté comme de
l'autre, le bien-être et la liberté, la démocratie et le
bonheur doivent-ils *obligatoirement* se mesurer en
termes de niveau de vie et d'orthodoxie? Pourquoi
dans tous les partis qui se disputent l'exercice du pouvoir, l'unanimité vient-elle toujours *appuyer* d'en
haut «le droit divin» de l'entreprise privée à réduire
la société à son propre marché? Pourquoi, en fin de
compte, l'administration privée des choses conduit-elle
à l'administration privée des hommes?

Dans l'univers des marchandises et des rapports sociaux standardisés, la démocratie ne risque-t-elle pas d'être confondue avec sa négation?

On a vu plus haut que le développement de l'industrie électronucléaire repose sur la formation d'un système d'irresponsabilité absolue. On a vu également que ce système d'irresponsabilité, aveuglément admis comme une nécessité par les hommes politiques, trouve sa justification dans la croissance illimitée du profit et de la puissance. On a vu enfin que l'instrument privilégié de cette croissance est la concentration maximale du pouvoir économique et politique.

Lorsqu'un nationalisme vise à la concentration du pouvoir politique entre les mains d'une élite bureaucratique, il contribue, consciemment ou non, à accélérer la monopolisation, l'uniformité, l'égalité dans la démission. Loin d'être autonomiste au sens littéral du mot, il appelle la contrainte extérieure en établissant une contrainte intérieure. Il se prépare à subir la planification multinationale en planifiant ses propres divisions, en abolissant sa diversité interne. Pour qu'un nationalisme soit réellement créateur et libérateur, il faut qu'au départ il opère un déblocage radical dans les domaines idéologiques, juridiques, législatifs et institutionnels, afin que les mouvements sociaux (des syndicats au mouvement écologique, en passant par les groupements féministes, les coopératives et tous les « fronts » antimonopoles) puissent transformer par eux-mêmes et dans la diversité, c'est-à-dire de manière *autonome,* leur part de réalité sociale. Autrement dit, le nationalisme n'est indépendantiste que dans la mesure où il libère *concrètement* de la dépendance. Sans quoi, tout comme le libéralisme ou le fédéralisme, il procure à une élite restreinte de mandarins ou de grands-prêtres les outils politiques de leur intégration à la direction

d'un secteur particulier du « complexe militaro-industriel ». À quoi sert le nationalisme lorsqu'il conduit à
se placer sous le leadership américain ?

Monsieur le premier ministre, au lieu d'opérer le
déblocage idéologique et législatif dont je viens de parler, votre gouvernement se contente au contraire d'assurer *la continuité* d'un double processus de dépendance : au plan idéologique, il impose un discours conservateur, défensif et abstraitement national ; au plan
législatif, il manœuvre entre l'étatisme paternaliste
dans quelques secteurs (l'éducation, la culture et les
affaires sociales, notamment) et la soumission craintive
au multinationalisme dans la majorité des autres. En
somme, la révolution tranquille des années 1960 n'a pas
réussi à libérer l'appareil politique institutionnalisé de
son état traditionnel. Comme sous les gouvernements
Taschereau et Duplessis, il demeure prisonnier du capital étranger et, pour faire illusion sur son impuissance, il fait un usage immodéré de la démagogie.

La libération de nouvelles énergies politiques en
1960 et leur regroupement subséquent au sein du mouvement indépendantiste ne se sont pas traduits par la
création de structures nouvelles de pouvoir. Les indépendantistes ont pris le pouvoir *tel qu'il était* avant eux
et ils ne semblent guère décidés à le transformer. Bien
au contraire, ils font tout en leur possible pour per-
suader « les partis d'en face » à l'Assemblée nationale
qu'aucun bouleversement n'est à prévoir dans le fonctionnement de l'appareil étatique. C'est ainsi qu'entre
autres, monsieur le premier ministre, vous tenez secrète
la décision du secrétaire exécutif de « la province »,
Guy Coulombe, de quitter le gouvernement en juillet
prochain pour accepter un poste de choix dans l'entreprise privée. Quand un gouvernement a peur de révéler
un fait aussi insignifiant que celui-là, on doit en conclure

qu'il a pris pour acquis le caractère *sacré* de la fonction
publique! Même si 10 000 Coulombe quittaient la fonction publique, le pays connaîtrait-il pour autant la faillite? La population serait-elle condamnée à la famine et
les politiciens au vertige?

Il me semble évident qu'un gouvernement qui se
proclame lui-même indépendantiste aurait mieux à faire
que d'adopter une attitude aussi peureuse en matière de
«respectabilité reconnue». Imaginez que si le départ
d'un haut fonctionnaire suffit à lui seul à provoquer
une «crise de confiance» envers l'État, aussi bien dire
ouvertement que le gouvernement élu le 15 novembre
1976 n'attend qu'une première véritable secousse pour
se dissoudre lui-même.

J'ai comme l'impression qu'on n'a pas fini d'assis-
ter avec rage et désabusement aux péripéties «sociales-
démocrates» du vide politique. Ni l'autoritarisme doc-
toral des Morin et Parizeau, ni les grimaces angoissées
du chef, ni les voyages à New York et à Paris, ni le
rappel de Duplessis et de Groulx, ni les livres blancs
sur les intentions pieuses ne pourront donner à ce vide
immense l'apparence d'une révolution quelconque.

Comme auparavant, les fonctionnaires de l'État
vont continuer de planifier, envers et contre tous, nos
besoins et nos désirs présumés, pendant que, de leur
côté, les politiciens conserveront leur rôle traditionnel
de gendarmes desdits besoins et désirs programmés.

Car dans la société péquiste comme dans la société
libérale, seuls les technocrates ont qualité, sous couvert
de leur «haute compétence, pour gérer sans concurrence *la chose publique*. Que ces diplômés supérieurs
aient reçu leur formation académique en Europe ou aux
États-Unis, ils s'entendent tous pour adopter le mode
de gestion à l'américaine, pour en cautionner l'idéologie

« scientifique » et la pratique monopolisatrice, et pour finalement en servir les buts.

Ces buts que personne ne conteste « au plus haut niveau » sont en contradiction complète avec l'émancipation de la majorité, avec l'indépendantisme et avec l'exercice du droit à l'autonomie pour les collectivités aussi bien que pour les groupes. Ils visent, en effet, l'uniformisation des groupes et des individus, la soumission des activités, des besoins et des désirs aux intérêts des monopoles multinationaux. Aussi, quand les experts font la démonstration savante des avantages du projet de la Baie James ou de la nécessité économique d'un Palais des congrès au centre-ville de Montréal, députés et ministres du Parti québécois en arrivent, « après étude approfondie de la question et reconnaissance de besoins *évidents* », à parler un langage identique à celui de leurs prédécesseurs au gouvernement.

Au plan de la politique internationale, même scénario. On voudrait bien à ce chapitre sortir du carcan militaire de N.O.R.A.D. et proposer la démilitarisation totale de la société. Mais les experts en décident autrement. Après quelques conciliabules « top secret », on annonce que N.O.R.A.D. et l'O.T.A.N. sont des cadres indispensables au bonheur québécois et on publie sans prévenir un avant-projet d'armée autochtone.

Vous n'êtes pas, monsieur Lévesque, le seul homme d'État en Occident à se plier ainsi aux diktats des experts ni le seul, hélas, à accepter comme inéluctable le leardership américain. Votre projet souverainiste en a pris un dur coup depuis 1976. C'est à se demander s'il ne se réduira pas bientôt à une simple « déclaration d'intention »... et à une prière à Lionel Groulx !

Les pions de la géopolitique

J'ai déjà souligné l'avenir qu'entrevoient la Maison-Blanche et la Commission trilatérale non seulement pour le Québec et le Canada mais aussi pour « la communauté des sociétés développées ». La réalisation de ce projet exige que les hommes politiques acceptent de jouer les pions sur l'échiquier « made in U.S.A. » Qui n'est pas un pion, est un « rouge », donc un homme à abattre.

Le discours que Jacques Parizeau a autrefois servi aux journalistes « indisciplinés » du *Jour,* Zbigniew Brzezinski le tient aujourd'hui aux membres de votre gouvernement, comme il le tient d'ailleurs à tous les gouvernements « partenaires ». Et que font ces gouvernements ? Partisans de la bonne entente et farouches défenseurs de l'entreprise privée, ils multiplient les déclarations de solidarité et réitèrent leur attachement indéfectible à « la sécurité collective » ainsi qu'à la croissance industrielle.

Dans leur bouche, la politique semble tout entière dictée par l'uranium, la bombe à neutrons, le bauxite, le fer, le pétrole et l'aluminium. En dehors de cela, pas de salut.

La solidarité des pions pro-américains sert à concurrencer les pions pro-soviétiques du Pacte de Varsovie. Mais elle sert aussi à faire disparaître les petites guerres intestines que se livrent entre eux les gros, les moyens et les petits pions de l'empire. Car si les pions s'agitent, il sera difficile aux États-Unis de jouer « le grand jeu » multinational et nucléaire.

Mais les pions étant encore « humains », cela ne va pas sans difficultés. Les États-Unis ont des maux de tête. Sur le carré canadien, les pions se battent entre eux. Dans les cases européennes, les pions se guettent les uns les autres avec méfiance. Au Moyen-Orient et en Afrique, les pions pro-américains jouent une partie très complexe et sont directement menacés par les pions adverses.

Les États-Unis invitent l'Union soviétique à «geler» la partie, le temps de «raisonner» leurs pions. Mais Moscou entend au contraire profiter de la situation. Pendant que Washington tente de jouer simultanément Israël et l'Égypte contre les Palestiniens, Moscou avance en Éthiopie.

Là vraiment les maux de tête s'aggravent. Les Américains doivent simultanément sauver le pion égyptien de la contre-offensive du «front arabe du refus»; ne pas lâcher le pion israélien qui veut, au nom de la paix, renforcer son potentiel militaire et qui, paraît-il, a fabriqué ses propres bombes atomiques; ne pas mécontenter l'Arabie Saoudite, farouchement anti-israélienne mais fournisseur indispensable de pétrole et de pétrodollars; convaincre le pion jordanien de donner un coup de pouce à Sadate et empêcher le Liban divisé de tomber sous la domination syrienne. Entre-temps, les Américains doivent aussi, par l'Iran et l'Arabie Saoudite interposées, défendre la Somalie contre l'Éthiopie; par la France «intéressée», combattre le Polisario au Sahara; par les casques bleus canadiens, retenir Chypre au sein de l'O.T.A.N.; et prévenir la soviétisation de l'Afrique australe tout en dénonçant l'apartheid que pratiquent leurs «frères de race».

L'O.L.P. pro-soviétique est qualifiée à Washington de terroriste. Tandis que le Front de libération populaire de l'Érythrée, antiéthiopien et donc antisoviétique, reçoit des armes américaines.

Pour Washington et Moscou, le monde est devenu bipolaire. Les deux «blocs» envoient leurs représentants à des sommets d'intérêt commun qui se tiennent en terrain neutre, de préférence en Suisse. Mais pendant ce temps, à l'étage en dessous, la confrontation se poursuit de plus belle et jamais le commerce des armements n'a réalisé autant de profits.

Dans ce «world play», où la Chine essaie elle aussi d'embarquer pour le meilleur et pour le pire, le conflit Québec-Ottawa prend la dimension d'une querelle de sardines (ou de scorpions, si vous préférez, monsieur Lévesque). Une querelle que Washington n'aura pas trop de mal à régler *à son avantage,* étant donné que les adversaires s'entendent pour lui concéder le leadership.

Dans ce contexte, on voit mal où peut conduire la vision unitaire de la société québécoise que vous tentez d'imposer. À quoi sert une unité destinée à être digérée par une plus grosse unité qu'elle, celle de l'empire? Si notre finalité collective et individuelle doit correspondre à celle du système impérial, l'autonomisme officiel n'est-il rien d'autre que l'expression d'un attachement *sentimental* à un passé révolu? Un autonomisme aussi ouvertement pro-américain que celui qui préside actuellement aux destinées du Québec me paraît incontestablement absurde. Aussi absurde que cette «unité nationale» fantôme que poursuit désespérément l'équipe bâtarde de la Commission Pépin-Robarts.

À défaut de politique, les Québécois ont droit ces temps-ci à un drôle de cirque.

Alors que tout le monde a le mot «crise» à la bouche, on assiste en fait à une capitulation générale et tranquille des hommes politiques. L'administration gouvernementale bureaucratique, tant à Québec qu'à Ottawa, poursuit ses tâches quotidiennes de gestion sans se préoccuper vraiment des querelles fédérales-provinciales. La population, quant à elle, plus *informatisée* qu'informée par les média, subit l'administration et ne voit plus la différence entre la souveraineté-association et le fédéralisme renouvelé, entre le statut particulier et le *statu quo*. L'homme d'ici en tant qu'*agent de l'histoire* semble absent. Ne subsiste qu'une main-d'œuvre plus ou moins bilingue et plus ou moins riche, davantage sensible aux aléas de son niveau de vie qu'à son autonomie.

Dans l'un de ses livres, *La révolution technotronique,* Zbigniew Brzezinski affirmait que l'apathie collective était une conséquence *normale* de cette « mutation économique, sociale, psychologique et culturelle » qui, par le choc de l'électronique et de la technologie, des ordinateurs et des communications, et sous la direction des entreprises multinationales, est en train de *déterminer* l'évolution de l'humanité. L'avenir serait donc, selon lui, caractérisé par l'internationalisation du collectivisme (ou communisme) capitaliste Comment l'Union soviétique pourra-t-elle longtemps résister à ce « rêve américain » ?

L'obsession québécoise d'un État fort et uniforme qui, depuis au moins un siècle, a nourri les idéologies nationalistes traditionnelles, risque de trouver sa concrétisation à l'échelle planétaire. Il se pourrait bien toutefois qu'à ce moment-là, le Québec n'existe plus comme société distincte.

La collectivisation et la bureaucratisation de la société mondiale de demain feront apparaître comme dérisoires l'autoritarisme qu'affichent aujourd'hui, chacun pour son compte, le sauveur du Canada et celui du Québec. Ces deux messies sont en retard d'un siècle.

Pour que l'idéal national ait un sens au Québec et au Canada, il faudrait que non seulement il soit antiaméricain mais qu'il mise essentiellement sur l'auto-

nomie des groupes sociaux plutôt que sur la bureaucratie des experts. Il faudrait que ce nationalisme brise
les chaînes des soumissions sécurisantes ou rentables
et qu'il s'engage dans une véritable stratégie d'expérimentation créatrice d'un nouveau type de société. Il
faudrait, en somme, qu'il donne naissance à un autre
type de militantisme que celui hérité pêle-mêle de l'Action française, du libéralisme économique et du Parti
démocrate américain.

Le vide politique dans lequel flottent nos hommes
politiques par opportunisme ou par stupidité laisse le
champ libre aux multinationales, à la Maison-Blanche
et au Pentagone dans l'établissement d'un *Goulag*
climatisé.

La nouvelle grande dépression

L'extrême gauche, de son côté, est persuadée que
le capitalisme de monopole est en crise, voire au
bord de la faillite. Elle voit dans le chômage, l'inflation et la dévaluation du dollar actuel les signes irréfuta-
bles d'un échec définitif. Le commencement de la
fin du capitalisme...

Cette illusion l'empêche de voir plus loin qu'en
1848. Elle oublie que jusqu'à maintenant, Orwell s'est
révélé meilleur prophète que Marx. Mais Orwell n'était
qu'un maudit *anarchiste,* insensible aux orgues sta-
liennes et donc incapable de penser le monde *dialecti-
quement.* Car c'est par l'oreille que la vérité aujourd'hui
se dévoile aux hommes, c'est McLuhan qui le dit. Orwell était sourd aux commandements, sourd également
aux vérités révélées. Il ne croyait donc pas que la
science est prophétique. Il savait qu'au contraire, elle
est essentiellement autoritaire. C'est pourquoi il préfé-

rait tirer ses leçons de l'observation plutôt que de la doctrine.

Or, qu'enseigne l'observation, ou si vous préférez l'histoire, en matière de crise du capitalisme. Elle enseigne que le capitalisme, comme tout système établi, est condamné à produire ses propres contradictions et, par conséquent, à les dépasser. Il n'ignore pas que chaque crise est porteuse d'un *progrès* (au sens, bien sûr, qu'il lui donne). La crise actuelle résulte du passage de l'économie concurrentielle à celle du multinationalisme. Contrairement au gouvernement Trudeau et contrairement également à l'extrême gauche, les multinationales ont depuis longtemps cessé d'avoir une vision «libérale» du capitalisme. Elles savent parfaitement que les sociétés industrielles ne connaissent pas présentement une «panne temporaire» de courant concurrentiel mais qu'elles vivent une modification radicale des lois du marché, de la production et de la consommation. *Rien ne sera plus comme avant,* lorsque la «crise» sera résorbée par l'élimination complète de la libre concurrence et des marchés «nationaux».

L'optimisme libéral d'un Jean Chrétien est en fait aussi ridicule en 1978 que l'évangile nationaliste d'un Lionel Groulx ou que la prophétie théorique de l'effondrement *imminent* du capitalisme.

Le premier objectif à court terme que vise la «crise» est le bouleversement radical des rapports économiques et des liens politiques établis après la Deuxième Guerre mondiale dans le but d'accélérer la reconstruction de l'Europe et du Japon et de bloquer l'expansion du bloc soviétique. Le plan Marshall ayant pleinement réussi, l'heure est maintenant venue d'appliquer le plan Rockefeller. On sait par les travaux de la Commission trilatérale que ce plan prévoit l'établissement d'une «démocratie restreinte» au sein de la communauté des sociétés industriellement et technologiquement avancées. La planification internationale de cette « démocratie nouvelle » implique la disparition des nationalismes, des chauvinismes, des libéralismes d'antan et même des moyens et petits capitalismes de secteur.

En exportant leur *crise de croissance* en Europe, au Japon et au Canada, les États-Unis sont parvenus sans trop de difficultés à faire sentir à leurs « alliés » la fragilité des économies dites « nationales ». Comme c'est généralement le cas entre le plus fort et les plus faibles lors d'une compétition « amicale », l'Amérique entend faire comprendre clairement aux sociétés industrialisées du cercle atlantique que leur *prospérité* est irrévocablement liée à leur dépendance (qualifiée pour la forme d'interdépendance). Il n'y a pas que leur prospérité qui soit en cause, mais également leur *sécurité* militaire et leur *stabilité* sociale. Bien entendu, l'intérêt *bien compris* de l'Europe, du Japon et du Canada coïncide avec les intérêts multinationaux des États-Unis !

Il se trouve que la très grande majorité des dirigeants politiques occidentaux sont d'accord avec cette vision du monde.

Le temps est donc venu, selon Washington, de débarrasser l'Occident des archaïsmes structuraux que constituent, par exemple, les banques nationales, les monnaies distinctes, les tarifs douaniers, les bureaucraties politiques divergentes, etc. Il s'agit maintenant de concentrer au sein d'organismes uniques l'accumulation encore dispersée du capital financier, technologique, intellectuel et politique. Pour y parvenir, il n'y a pas 46 méthodes : l'Europe, le Japon, le Canada et les « nouvelles puissances » du Tiers-Monde (l'Iran, l'Arabie Saoudite, le Brésil, le Nigéria, l'Inde, etc.) doivent renoncer « dans l'intérêt général » à toute vo-

lonté d'indépendance économico-politique et à tout
particularisme socio-culturel. Soumis par la force des
choses à la bipolarité militaire (U.R.S.S.-États-Unis) et
à la généralisation universelle d'un mode de développement, de production et de consommation que les
multinationales gèrent elles-mêmes, les pays capitalistes (et demain ceux que l'on nomme aujourd'hui
« socialistes ») n'auraient d'autre liberté que celle de devenir satellites américains. L'avance technologique
considérable, les ressources énergétiques et le capital
surabondant ne garantissent-ils pas aux États-Unis une
suprématie qu'il est impossible de contester ni de dépasser dans l'ordre capitaliste ?

Quand le monde aura compris, à travers les boule-
versements actuels des rapports économiques tradi-
tionnels, qu'il n'a plus d'autre choix que l'intégration
à l'empire, les États-Unis, bons joueurs, renonceront
à leurs politiques protectionnistes. Ils n'auront plus besoin de frontières.

Certes, les États-Unis ont subi une grande défaite au Vietnam, mais ils se sont rapidement remis
de leurs émotions. Ils ont compris qu'en 1978, il vaut
mieux faire la guerre aux Soviétiques par peuples in-
terposés plutôt que d'engager directement leurs hommes dans le combat. Pendant que les Russes utilisent
en Afrique des soldats cubains, les Américains, eux, se
contentent d'expédier des tonnes de matériel militaire
à leurs amis. Entre-temps, avec l'aide toute spéciale
de l'Allemagne fédérale, ils achèvent la conquête de
l'Amérique latine. Ils ont aussi repris en mains l'Inde,
l'Égypte et certains pays d'Afrique autrefois soumis
à l'influence soviétique.

Les déficits budgétaires et commerciaux que
les États-Unis enregistrent présentement ne sont pas
les indices d'un recul mais, au contraire, une manière

classique de solvabiliser la métamorphose de l'économie libérale en une économie multinationale. Personne n'ira prétendre, je crois, que les États-Unis manquent de ressources.

En attendant que le capitalisme achève sa métamorphose, il y aura des pleurs et des grincements de dents, surtout chez les peuples plus faibles qui risquent de connaître une marginalisation cruelle. Ce qui ne fera « souffrir » aucune grande entreprise. Jamais à court d'idées nouvelles et de capitaux, les multinationales vont continuer de lancer de nouveaux produits, d'élargir les marchés les plus lointains, d'en créer de nouveaux, de vendre des remèdes aux maux qu'elles engendrent et d'acheter la complicité politique des rois-nègres.

Les multinationales maîtrisent à la perfection l'art de répartir les coûts industriels sur l'ensemble des biens et des services vendus et consommés, notamment en augmentant les prix et le pouvoir d'achat. Par cette méthode, elles font payer à leurs clients, à leurs employés et à l'État une partie importante des frais de recherche, de conception, de production, de technologie et de mise en marché de leurs produits. En même temps, elles soutiennent financièrement ou elles contrôlent directement les journaux, les réseaux de radio et de télévision, les universités et autres institutions qui aident à supprimer la résistance politique, sociale ou culturelle au mode de consommation qu'elles imposent. C'est ainsi qu'elles uniformisent progressivement le train de vie des citoyens et les valeurs auxquelles ils prennent l'habitude de se référer. La recherche scientifique, autrefois libre des contraintes économiques, est planifiée à cette fin depuis les inventions du téléphone, de l'automobile, de l'avion et de la télévision. Jamais la science n'a été aussi étroitement associée que maintenant à la domestication des hommes.

La monopolisation de la production et des marchés permet donc aux multinationales de gouverner les gens *à la place* des gouvernements élus. La façade parlementaire est maintenue à peu près partout en Occident, mais pour combien de temps? Déjà, la dégénérescence de la politique et des politiciens se perçoit à l'œil nu, aussi bien au Québec qu'en Italie.

Par ailleurs, la gigantesque consommation d'énergie par les multinationales accélère à un rythme affolant la destruction des richesses naturelles et de l'écosystème indispensable à la vie végétale, animale et humaine. En 13 ans seulement, soit de 1960 à 1973, l'industrie automobile a augmenté ses investissements en capital de 200 pour 100, ses effectifs de 50 pour 100... et sa consommation d'énergie de 1 400 pour 100! Le même phénomène se retrouve dans l'industrie aéronautique, celle des produits chimiques et pharmaceutiques, l'industrie électronucléaire, etc.

Pour camoufler ce désastre, on place au compte des gains (dans le calcul du produit national brut) les dépenses publiques et privées affectées à la réparation partielle des dégâts écologiques, au gaspillage, aux « soins » des maladies industrielles et au chômage « libéré » par la restructuration de l'économie.

Le camouflage comptable qui caractérise la mesure officielle du P.N.B. vous sert parfois, monsieur le premier ministre, à prétendre que le Québec est en relative « bonne santé » économique. Vous oubliez toutefois de préciser que cette « bonne santé » apparente et prétendument mesurable scientifiquement porte en elle un cancer redoutable, celui de la dépendance, du gaspillage et de la pauvreté sociale.

Devant une situation aussi menaçante pour les peuples, pour les hommes et pour la vie elle-même, quel rôle joue l'information? J'ai demandé à Marshall McLuhan de m'en dire quelque chose, puisque, nous apprennent les média, il est perçu dans le monde entier comme l'un des plus grands spécialistes de la question. Et voici que McLuhan m'enseigne, à moi, incurable romantique, et à vous aussi qui vous réclamez d'un certain humanisme, que la fonction hautement civilisatrice des média électroniques est de favoriser la création du citoyen «policé, programmé, converti», auquel les politiciens viennent en aide par un savant mélange de propagande, d'autorité *virile* et de démagogie *indifférente*. Rien que ça!

L'inconscience cosmique de McLuhan

«Les jours de la démocratie sont comptés», prophétise McLuhan avec une fierté non déguisée *(D'œil à oreille,* H.M.H., p. 65). «Des révoltés, il n'y en aura pas, ou bien peu», ajoute-t-il à l'intention des hommes d'affaires. Et à tout le monde il livre ce message raisonnable: les étoiles sont si grandes et la terre si petite, et l'homme plus petit encore. Restez donc où vous êtes. Demeurez bien sagement à votre place. Regardez la télévision. Non seulement la démocratie est-elle dépassée, mais chaque individu sera bientôt amené à réagir simultanément et réciproquement avec tous les autres aux stimulations produites par des communications électriques instantanées. «L'ordinateur en effet, déclare McLuhan, possède en soi la potentialité technologique d'unir l'humanité en une seule famille et d'assurer ainsi *à perpétuité* l'harmonie et la paix collectives.» Le village global des moutons mus par ordinateurs.

Notre expert va encore plus loin et annonce triomphalement la disparition des langues et des cultures auxquelles se substituera «une inconscience cosmique intégrale»! Camille Laurin et Fernand Dumont n'ont qu'à se rhabiller!

Pourquoi perdre encore son temps, McLuhan, à déplorer l'avènement prochain d'une programmation électronique qui déterminera les messages que le peuple *doit* entendre. «On ne pourra quand même pas les supprimer (ces messages) et ce n'est pas en s'irritant contre une technologie nouvelle qu'on en arrête le progrès.» Arrête de faire un cave de toi, Ivan Illich!

«Quand je sera grand, je serai un ordinateur.» Tel devrait être le souhait des enfants d'aujourd'hui, puisque la révolution technologique est un phénomène, paraît-il, irréversible. Un fait déjà accompli même pour les «spécialistes» qui, de McLuhan à Brzezinski, nous convient au bonheur à perpétuité de la démission collective et individuelle.

Vue de la hauteur sans limites du savoir et de la science, la vie humaine est en effet bien peu de chose.

La société de demain, la société du plutonium et de l'ordinateur, finira-t-elle par ressembler aux rêves fous d'un McLuhan ou bien saurons-nous, pendant qu'il en est encore temps, retrouver l'amour de la vie et l'imagination créatrice dont nous sommes issus?

«L'imagination au pouvoir», pouvait-on lire en mai 1968 sur les murs de Paris. Il faudra en effet beaucoup d'imagination pour résister aux ambitions totalitaires d'une élite déshumanisée, pour empêcher le suicide nucléaire de l'espèce et accoucher d'une société libre, pluraliste et autogestionnaire.

Nous devons inventer une nouvelle culture non seulement dans le domaine des «arts et lettres» mais aussi dans celui de la politique et de la pratique sociale.

Lettre 5

Y A-T-IL UNE ALTERNATIVE?

Pour les McLuhan, Brzezinski et Rockefeller, il n'existe pas d'alternative à «l'inconscience cosmique intégrale» de l'ère servomécanisée dont ils préconisent l'avènement. Mais pour vous, monsieur Lévesque, y en a-t-il une?

On ne peut mesurer l'espoir qu'il existe vraiment une alternative qu'aux efforts que l'on fait, individuellement et collectivement, pour qu'elle *se concrétise.* Je ne crois pas aux miracles qui sauvent du malheur *in extremis.*

Or, que faisons-nous? Collectivement, à peu près rien. Individuellement, on est bien obligé d'assumer l'incertitude. Il n'y a pas de réponses toutes faites aux questions que pose l'avenir. Il n'y en a même pas à celles que suscite la pratique quotidienne.

Chaque individu n'en finit jamais d'apprendre à se connaître. Et plus il se connaît, plus il devient conscient de la nature contradictoire de son être psychique. En même temps, il prend conscience que cette contradiction révèle non pas une maladie mais le caractère permanent du choix humain, de la liberté. La liberté suppose en effet que rien n'est jamais donné ou acquis pour toujours, que tout peut se remettre en question, que l'homme n'est doué d'imagination que parce qu'il doit vivre dans l'incertitude et que, par conséquent, il est seul responsable de lui-même. Il n'y a pas de Dieu et l'homme n'est pas sur terre pour accomplir un plan préalablement conçu.

C'est de la division hiérarchique du travail et de la division de la société en classes dominantes et en classes dominées qu'est née la notion de pouvoir *établi*. À chaque époque, la religion, la philosophie, l'idéologie, la science et le discours politique se sont coalisés pour affirmer l'intangibilité de ce pouvoir. Bien souvent, l'armée et la police ont dû être appelés à la rescousse des bien-pensants pour empêcher la contestation ou le renversement de ce pouvoir. La fabrication d'armes de plus en plus sophistiquées et destructrices ont conduit l'humanité à envisager comme possibilité immédiate la mort de toute l'espèce. Depuis Hiroshima, il n'est plus permis de fermer les yeux sur cette menace universelle.

C'est pourquoi l'une des premières actions collectives qui s'imposent aux hommes de notre siècle est la destruction de l'imposant stock nucléaire qu'entreposent un peu partout sur la planète les mégalomanes de la terreur absolue et de la croissance industrielle illimitée.

Or, c'est à ce chapitre qu'au Québec et au Canada l'on enregistre le moins d'action. De surcroît, monsieur le premier ministre, votre gouvernement se laisse aveuglément manipulé par les promoteurs de la technologie nucléaire. La construction des trois centrales de Gentilly et de l'usine d'eau lourde de LaPrade confirme que les détenteurs du *savoir* technologique possèdent plus de *pouvoir* politique que les gouvernements. Comme ces experts sont eux-mêmes au service des multinationales et des grandes armées impériales, on imagine facilement vers quel type de société le nucléaire conduit. Aux contrôles industriels de sécurité viennent en effet s'ajouter les contrôles sociaux et politiques, la surveillance électronique, l'encadrement des masses.

La société nucléaire est la pire de toutes les sociétés imaginées par l'homme. Pourquoi n'ose-t-on pas empêcher son développement? Alors qu'il faudrait alléger le développement, modifier radicalement le mode de production et de gaspillage actuel, les classes dirigeantes optent au contraire pour l'accélération de la croissance et la multiplication des risques de catastrophes. Tout le monde sait pourtant aujourd'hui que la planète constitue un milieu *fini* dont les ressources ne peuvent être dilapidées infiniment. À ce chapitre, au moins, existe une certitude: on ne peut survivre longtemps à la destruction rapide de son écosystème.

Il existe d'autres chemins vers le bien-être que ceux qui sont dictés d'autorité par les puissants de ce monde. Il existe d'autres choix à faire pour une collectivité qui se respecte que ceux de l'obéissance aveugle aux pouvoirs établis.

Dans l'édition du 1er février dernier du *Devoir,* Gilles Provost révélait un fait bien caractéristique de l'irresponsabilité des hommes publics. «Bien que la construction de l'usine d'eau lourde de LaPrade, écrivait-il, ait débuté en 1974, les services de protection de l'Environnement du Québec et la commission de contrôle de l'Énergie atomique du Canada ont entretenu de *telles inquiétudes quant à la sécurité de cette gigantesque installation* qu'ils ont retardé jusqu'à la semaine dernière (janvier 1978) l'émission des permis de construction. (Ce qui n'a pas empêché la construction de commencer quatre ans plutôt!)

«Les deux organismes chargés de veiller à la sécurité publique et à la protection de l'environnement auront donc rendu leur décision à une journée d'intervalle et au moment où le texte final des ententes Québec-Ottawa pour l'achèvement des travaux était sur le point d'être publié. (Un fait fait accompli de souveraineté-association.)

« En effet, cette usine contiendra 1 200 tonnes d'hydrogène sulfuré à très haute pression (400 livres par pouce carré). *Aucune autre installation au monde ne contient autant de ce gaz toxique à une pression semblable.* (Or ce gaz, plus lourd que l'air et inflammable, attaque le fer et l'acier. Mortel à une concentration de 500 parties par million, il se transforme en anhydride sulfureux tout aussi toxique, lorsqu'il brûle. (...) On estime que l'effondrement d'une des gigantesques tours de l'usine entraînerait des concentrations mortelles jusqu'à 30 milles à la ronde. (...) La situation est d'autant plus sérieuse que des accidents sont survenus dans les usines d'eau lourde déjà existantes. »

Les usines de Gentilly n'existent, vous le savez très bien, que pour répondre à des impératifs commerciaux. En optant pour le nucléaire, le Canada et le Québec choisissent d'entrer dans le club dément de ceux qui préfèrent la bombe à la vie.

La bombe ou la vie

Les promoteurs de l'électronucléaire et des servomécanismes d'autorégulation ne jouent pas seulement avec des concepts terrifiants. Ils créent des engins dont le fonctionnement *normal* a pour but d'évacuer le libre arbitre. Des philosophes affirment déjà que l'homme en tant que *sujet historique* est mort. D'autres prétendent que les nations sont des phénomènes dépassés. D'autres encore veulent nous vendre l'idée d'un monde futur entièrement mécanisé.

Les multinationales, les forces armées, les États industriels et un grand nombre de scientifiques sont engagés dans un processus démoniaque. Ils voudraient imposer aux individus et aux groupes, comme aux machines automatiques, une évolution *toute préparée à l'avance*. La planification, dont on parle beaucoup depuis un demi-siècle, servirait à l'établissement d'un système « humain » où la liberté serait nulle. Au mieux, elle viserait à la création d'un servomécanisme humain comparable à celui des satellites qui, tout en poursuivant un but fixé à l'avance et déterminé électroniquement sans aucune ambiguïté, possèdent néanmoins une certaine autonomie dans *le chemin à suivre*. Un tel servomécanisme peut en effet procéder par essais et erreurs, par tâtonnements successifs, et modifier légèrement son évolution dans l'espace en fonction des conditions extérieures et en s'adaptant à ces conditions. Toutefois, le but ayant été clairement déterminé au préalable, ces « détails » de trajectoire ne comptent guère et ne sont dus qu'à la rétroaction (« feed back »). Le servomécanisme est si bien programmé qu'il s'auto-discipline avec perfection. Il n'a d'autre choix véritable que celui d'atteindre le but qu'on lui a fixé.

C'est vers un état semblable d'autodiscipline que veulent nous conduire, monsieur le premier ministre, les maîtres actuels de la technologie et des moyens de production. Vous vous rendez compte facilement que dans une société mécanisée, il n'y aura plus aucune volonté politique. Mais dans l'état présent de la société, ne voyons-nous pas déjà cette volonté politique perdre rapidement tout courage ? N'assistons-nous pas à la démission collective des hommes d'État occidentaux ? Et à l'instauration du pouvoir technocratique ?

Qu'un homme comme Zbigniew Brzezinski occupe dans l'empire le poste le plus stratégique de l'administration et qu'il soit en même temps le porte-parole du multinationalisme militaro-industriel indique que les vautours de l'humanité sont bien décidés à imposer *leur* ordre nouveau au monde entier. On a beaucoup parlé au XXe siècle de la terreur stalinienne et hitlérienne. Que faut-il dire du pouvoir occulte des multinationales? Parce que les hommes politiques et la majorité des citoyens sont encore persuadés que l'entreprise privée est seule créatrice de progrès, il ne se manifeste que bien peu de résistance aux efforts que déploient les plus riches et les plus forts pour transformer la démocratie en un système de circulation autoréglée.

Par la télévision et la spécialisation du travail, les hommes apprennent à subir la marche de l'histoire. Le spectacle se substitue à l'action, la passivité à la liberté, l'image abstraite à la réalité concrète. La pollution ne sent jamais mauvais à la télévision, les massacres ne font pas mal aux spectateurs du petit écran, les idées n'y expriment aucun contenu émotionnel et, finalement, tous les événements deviennent équivalents dans l'uniformité. Qu'il s'agisse des famines ou des conquêtes spatiales, seule importe la qualité technique du *reportage*. Les signes remplacent le *sens*. La comptabilité remplace l'interrogation. La télévision impose les questions et donne les réponses. À quoi bon s'en faire?

Oui, y a-t-il une alternative? Chacun chez soi, tout le monde, après une journée de travail identique aux autres, regarde à la télévision une partie de hockey, une émission consacrée à Duplessis, *Les Berger,* ou un extrait bien choisi de la dernière conférence de presse du premier ministre. En fin de soirée, la météo et un bon film américain. Ensuite, dodo. 365 jours par année, la majorité se dispense de penser, de marcher, de découvrir et d'agir de façon autonome. Elle se gave de préjugés et de vérités révélées. Elle ne connaît l'angoisse que lorsque la télévision *dramatise* une prise d'otages, une élection ou un référendum.

Pourtant, les menaces que certains font peser sur le monde sont *immédiates*. Mais, il faut bien l'avouer, les gens semblent craindre moins l'apocalypse que l'insécurité. « Qu'on nous laisse donc tranquille avec la bombe atomique. Les experts s'en occupent. Et puis, pensez-vous que le monde est assez fou pour risquer une guerre nucléaire ? Non, l'homme est trop raisonnable pour cela. » Nos aînés en particulier paraissent avoir oublié très rapidement la « raisonnabilité » d'Hitler, de Mussolini, de Staline, de Franco et d'un nombre important d'autres « chefs éclairés ». Ils ne semblent pas non plus croire que Brzezinski, par exemple, puisse être un fasciste authentique. Un Américain, selon plusieurs, *ne peut pas* être un fou.

Au cinéma, ils ont vu *Docteur Folamour* et *Orange mécanique*. Mais là encore, ce n'était qu'un *spectacle*. Donc, cela n'existe pas.

Certains ont lu des tas de livres, mais ils ne croient pas ce qu'ils lisent. Les journaux ? « C'est toujours pareil. Moi, je *regarde* les résultats sportifs et les annonces commerciales. » Les revues spécialisées ? « Trop compliqué. » Etc.

Conscients de l'apathie d'un nombre croissant de personnes, des chercheurs et des créateurs succombent au pessimisme le plus noir. Ils prennent pour acquis que l'apathie est irréversible. Selon eux, l'évolution, dirigée désormais par la technologie et la grande industrie, échappe aux hommes. *L'homo sapiens* aurait perdu le contrôle de ses machines en faisant siennes les finalités de la technologie et de la croissance industrielle, comme il fait siennes également les finalités de l'électronucléaire dont l'unique raison d'être se résume au fait accompli que son développement se poursuit! Pire encore, l'éclair fulgurant d'Hiroshima, en rendant possible — et chaque jour plus probable, c'est un fait — le suicide de l'espèce, aurait paralysé à jamais son esprit créateur, son imagination et sa liberté. L'homme serait enchaîné pour le meilleur et pour le pire à une histoire *sans avenir*. La bombe atomique, reproduite depuis 30 ans à des dizaines de milliers d'exemplaires, aurait déjà tué l'homme conscient en étouffant ce qui lui est le plus indispensable pour survivre et progresser: l'imagination créatrice. Pour le soulager de ses problèmes psychiques, la biologie chercherait aujourd'hui le moyen chimique d'éliminer ce qui reste encore de « contradictions » dans son subconscient.

Il est vrai, hélas, que l'humanité *s'épuise* rapidement à suivre une technologie galopante et imprévisible. Il est vrai également que l'homme joue présentement sa survie sur des probabilités, des virtualités, des risques terribles. Depuis Hiroshima, la survie ou le suicide de l'espèce fait le drame et l'enjeu des stratégies nucléaires mondiales.

Ce « poker » fantastique a créé son propre vocabulaire: force de dissuasion, destruction assurée, riposte flexible, « second strike capability », « arms control », équilibre de la terreur, etc. Les dirigeants ont fabriqué la bombe atomique mais ils ne la contrôlent pas. Ils ont peur eux aussi mais ils sont incapables d'établir une véritable stratégie de paix. La course à l'hégémonie entraîne la multiplication des arsenaux nucléaires. Ceux-ci ont atteint un niveau d'incertitude si prodigieux que les hommes politiques n'osent plus y songer. Seuls des experts font confiance à la bombe. Les gouvernements, eux, sont dans le noir absolu. Washington et Moscou ont beau avoir établi un système permanent de «messages», d'«informations» et d'«alertes», chacun sait que «le code de la dissuasion réciproque» n'élimine pas le caractère irrémédiable d'un éventuel recours à l'arme nucléaire. La prolifération nucléaire le démontre bien. Aussi, la «cœxistence pacifique» se compare davantage à l'organisation scientifique de la guerre future qu'à son élimination.

Qui veut la paix prépare la guerre, disait-on jadis. Mais aujourd'hui, préparer la guerre c'est risquer la mort collective. Qu'importe, l'armement augmente en quantité et en qualité: bombes atomiques, bombes H, bombes à neutrons, «petites» et «grosses» bombes dont la puissance varie par un facteur 1 000, missiles balistiques, sous-marins lance-missiles, missiles de croisière, avions rase-mottes indétectables, armes antisatellites, rayons de la mort, auxquels s'ajoutent les armes bactériologiques, les chars d'assaut, les bombes à billes, et combien d'autres «découvertes». Qui osera prétendre que la raison préside une telle course au suicide?

Si les hommes, qu'ils soient québécois, américains ou russes, sont incapables de se mobiliser pour exiger l'arrêt immédiat de la course aux armements et la destruction des arsenaux nucléaires, de quoi seront-ils capables dans l'avenir? N'est-ce pas déjà suffisant que leur vie soit menacée? Qu'est-ce qui pourra encore motiver l'homme à agir si sa propre survie le laisse indifférent?

Il importe de bien comprendre que les apprentis-sorciers de la foudre atomique sont ceux-là mêmes qui veulent régulariser les rapports sociaux de manière à ce qu'ils s'autodisciplinent mécaniquement. Ce sont eux également qui contrôlent notre économie, qui achètent nos meilleures terres, qui nient notre droit à l'indépendance et qui font la chasse aux socialistes du monde entier. Je doute, monsieur Lévesque, que le patriotisme étroit d'un Lionel Groulx soit utile dans les circonstances.

Je doute aussi que le conformisme social et le conservatisme politique dont vous êtes partisan puissent nous aider à *vaincre* cet «équilibre de la terreur» qui non seulement caractérise les stratégies nucléaires mais qui également fait ramper les hommes politiques.

Je le répète: on ne peut revendiquer la liberté et être en même temps pro-américain. Exigeriez-vous des Polonais qu'ils expriment leur besoin d'indépendance en multipliant les professions de foi pro-soviétiques? Ou encore que les Guatémaltèques fondent leur développement social sur les intérêts de la United Fruit?

C'est pourtant à ce niveau d'absurdité qu'est parvenue la souveraineté-association, moins de deux ans après son accession au pouvoir. De quel pouvoir en fait s'agit-il? Tout se passe comme si «le pouvoir québécois» (un concept cher à Claude Morin) était un pouvoir de démission.

Il en sera ainsi tant que, collectivement, nous ne revendiquerons pas pour l'homme d'autre finalité que la domination des plus forts et la soumission de tous les autres. Tant que nous refuserons de nous mobiliser contre la mégalomanie et l'hégémonisme.

De l'achèvement «inévitable» du stade Taillibert à l'intégration «nécessaire» du Québec (et du Canada) aux États-Unis, la distance est courte, monsieur Lévesque. Il est grand temps que vous nous disiez si vous y croyez, vous, à l'indépendance.

Pourquoi, direz-vous, élargir «la question du Québec» au point d'y inclure l'impérialisme nucléaire? C'est que notre «problème national» est directement lié à l'évolution du monde *contemporain*. Il n'a rien de commun avec la situation antérieure. Pour trouver à ce problème une solution viable, il faut d'abord que les Québécois se politisent au point de comprendre l'enjeu fondamental auquel *aujourd'hui* est confrontée leur liberté d'être conscients. Il serait gravement dangereux d'oublier cette liberté-là au profit d'une politique « nationale » de planification autoritaire des besoins et des désirs.

Les hommes politiques aussi ont grandement besoin de voir plus loin que leur comté respectif. Le court terme des replâtrages improvisés ne mène nulle part. Et comme la politisation ne va pas sans courage, je vous souhaite, monsieur Lévesque, d'y repenser à nouveau avant d'inviter les Québécois à accepter comme une fatalité la domination américaine.

Si l'on veut créer une alternative à la dépendance, à l'annexion, au « melting pot », à la coca-colonisation, aux préjugés dominants, à l'environnement nucléaire et à la domestication collective, il faudra bien apprendre à dire non aux États-Unis et se passer de leur autorisation pour construire l'avenir.

Il faudra aussi rompre avec le cercle concentrationnaire de la production et de la consommation industrielles. Il faudra choisir d'inventer un autre type de croissance, un nouveau mode de progrès humain, une nouvelle manière de vivre en société.

Contrairement à Marx, je ne crois pas que l'homme soit par nature *une force de travail,* une bête de somme, dont l'intelligence ne servirait qu'à produire des marchandises sans cesse plus nombreuses, sophistiquées, éphémères et meurtrières. Je ne crois pas au déterminisme historique qui a conduit au multinationalisme et à « l'équilibre de la terreur ». Je crois que l'homme, tant qu'il est vivant et conscient, demeure libre de modifier le cours de l'histoire, d'opérer une véritable révolution de sa manière de vivre, de modeler lui-même et librement ses besoins et ses désirs, de rapatrier en somme son autonomie.

Il est temps d'abandonner les mythes sécurisants et fatalistes qui concernent le caractère prétendument *unidirectionnel* de l'histoire. Cette irréversibilité présumée, que les idéologies socio-économiques entretiennent autant à l'Est qu'à l'Ouest, ne sert en fait que les pouvoirs déjà établis.

Alternative et pluralité des choix

« Nous entrons dans une ère où toutes les « valeurs » anciennes établies pour favoriser la dominance hiérarchique *doivent* s'effondrer. Les règles morales, les lois, le travail, la propriété, tous ces règlements de manœuvre qui sentent la caserne ou le camp de concentration ne résultent que de l'inconscience de l'homme ayant abouti à des structures socio-économiques imparfaites (aliénantes), où les dominances ont besoin de la police, de l'armée et de l'État pour se maintenir en place. Aussi longtemps que la coercition, toutes les coercitions persisteront, elles seront la preuve de l'imperfection du système social qui en a besoin pour subsister. Tant que les hommes voudront imposer leur vérité aux autres hommes, on ne sortira pas de l'Inquisition, des procès staliniens, des morales, des polices, de la torture et de l'avilissement du cerveau humain par les préjugés les plus attristants dans l'inconscience de ces motivations préhominiennes. L'avenir que nous proposons apparaît trop beau pour être réalisable. Et cependant, une réflexion logique permet de trouver des arguments solides pour affirmer qu'il demeure possible.

« En effet, à partir du moment où l'évolution économique, c'est-à-dire la façon dont la technique de l'homme, fruit de son imagination et de son expérience accumulée au cours des générations, lui permet une utilisation extrêmement efficace de la matière et de l'énergie, de telle sorte que les besoins fondamentaux de tous les hommes puissent être assouvis, il suffit d'en faire une répartition correcte et juste. Tous les autres besoins de l'homme sont socio-culturels et acquis par l'apprentissage.

« Or, la notion de propriété des objets et des êtres, celle de dominance hiérarchique par le degré d'abstraction dans l'information professionnelle, celle de la nécessité première du travail producteur de produits de consommation, la notion de promotion sociale, d'égalité des chances de consommer, jusqu'à la famille elle-même (origine première pour chaque individu de la création de ces automatismes socio-culturels), tout cela n'est qu'*apprentissage*.

« Il suffit donc d'apprendre *autre chose* (j'irai jusqu'à dire l'inverse) dès les premiers jours, dès l'enfance, pour que ces notions si solidement établies n'aient plus aucun sens. Il suffirait de remplacer ces automatismes socio-culturels par une information généralisée et véridique (fondée sur le message humain plutôt que sur celui des communications de masse) pour que tout change.

« On peut poser la question de savoir si je suis sûr de ce que cela peut donner ? Je répondrai non. Mais ce qui me paraîtrait vraiment paradoxal c'est de croire que la disparition de ces vieux mécanismes et leur remplacement par un système ouvert, par une véritable culture en somme, (...) puisse aboutir à faire de l'homme un être moins évolué que ce qu'il est présentement. »

Comme bien d'autres, Henri Laborit, que je viens de citer, est convaincu de la nécessité d'une révolution *globale*. Mais comment la faire, par quel bout commencer et jusqu'où nous laissera-t-on *essayer* ?

Dans *La nouvelle grille*, Laborit se montre radicalement pessimiste. « Essayer ? demande-t-il. Impossible. Les structures hiérarchiques de dominance, partout dans le monde, empêcheront la réalisation de tout changement significatif, car elles y perdraient leur pouvoir. Alors, ajoute-t-il sur un ton désabusé, il ne reste plus qu'à attendre qu'une pression terrible de nécessité, que l'évolution elle-même s'en charge, ou ne s'en charge pas. (...) La grande peur pourrait-elle même sauver l'espèce humaine ? »

Pour Henri Laborit donc, il n'y a pas vraiment d'alternative. Et pourtant on ne peut nier qu'il ait l'intelligence et l'imagination qu'il faut pour en inventer une. Seulement, il a perdu foi en la capacité des hommes *atomisés*, individualistes et confortables, de trouver le courage nécessaire à une rébellion ouverte contre la méga-entreprise de l'aliénation universelle. D'autre part, il est conscient des moyens de répression fantastiques dont dispose aujourd'hui l'élite dirigeante. Il ne lui servirait de rien de sous-estimer cette capacité énorme de *dissuasion*. Cependant, il faut réagir, s'organiser, combattre.

Non seulement des milliers de jeunes aujourd'hui mais un nombre important de chercheurs et d'écrivains partagent entièrement le pessimisme de Laborit. Certains refoulent leur angoisse dans un néo-mysticisme de type oriental. D'autres, dans la violence gratuite, les hallucinogènes, les voyages à l'étranger.

Peu à peu une conviction pénètre, à tort ou à raison, un nombre croissant d'hommes lucides : l'impossibilité de concrétiser un nouveau projet de société dans le monde *surpolicé,* surmilitarisé, de cette fin inquiétante du XXe siècle.

Il devient donc difficile de parier sur l'homme. Tous les militants en font un jour ou l'autre l'expérience. Mais où trouver l'espoir si ce n'est dans ce pari ? Pour ma part, je maintiens le pari. Sans lui, en effet, ma propre existence devient sans objet et sans but. Je continue d'espérer. Et j'entends continuer de me battre (par l'écriture ou autrement).

L'important à mon sens est de lutter partout contre les monopoles, qu'ils soient culturels, idéologiques (d'extrême droite ou d'extrême gauche), techniques, économiques, administratifs ou politiques. Partout, il faut le faire cependant au nom du droit à la différence et du droit à l'autonomie, et non pour servir les intérêts d'une forme quelconque d'hégémonisme. Je n'ai pas à me battre pour justifier « la ligne juste » du comité central de la Chine populaire ou pour expliquer aux masses les raisons marxistes-léninistes de l'engagement des troupes cubaines en Éthiopie et des conseillers de Castro en Ouganda. Je n'ai pas à inventer une dialectique expliquant la signification révolutionnaire de l'appui de Pékin à Pinochet ou la nécessité historique d'une aide militaire israélo-soviétique au régime de terreur d'Addis-Abeba. Non, l'absurdité « dialectique » a suffisamment duré et depuis longtemps justifié trop de massacres, de révisionnismes et de trahisons cruelles pour que j'y attache encore la moindre utilité libertaire.

Tout centralisme idéologique fait rapidement la démonstration de son autoritarisme crypto-fasciste, même lorsqu'il ne cesse de jurer par Marx ou Mao. « Heureusement, je ne suis pas marxiste », écrivait Marx un jour à son camarade Engels. Car Marx n'était pas un imbécile. C'est pourquoi il n'a jamais prétendu incarner la vérité révélée. Il ne s'est pas pris pour le Christ.

Pour agir avec une mentalité ouverte, c'est-à-dire sans étroitesse d'esprit ni cléricalisme, il faut commencer par admettre que la réalité est pluraliste, que le pluralisme constitue même l'une des caractéristiques fondamentales de la vie. (Ce que veulent tuer certains savants en tentant de créer en laboratoire un bébé-éprouvette *identique* à son « père », ce qui revient à nier totalement la participation de la femme au processus créateur).

L'être psychique de l'homme, générateur de son intelligence, de son langage et de ses pensées, est lui-même contradictoire. Comment le monde pourrait-il ne pas l'être? Comment la pensée d'un individu ou d'un groupe pourrait-elle prétendre *être* LA VÉRITÉ.

Il faut se libérer des discours unitaires, qu'ils soient formulés par Brzezinski ou par Althusser. La solidarité implique que des êtres « pas pareils », non uniformisés, choisissent *librement* de se regrouper dans la poursuite d'un objectif commun. Ce qui n'a rien à voir avec l'embrigadement *sous* la bannière d'un chef charismatique ou d'une idéologie passe-partout.

En 1978, la solidarité, je la retrouve dans les mouvements féministes, écologiques, les fronts antinucléaires, certaines coopératives de production ou de création. À la fois dans le combat et dans l'expérimentation.

Monsieur le premier ministre, même si personne ne croit plus aux miracles, ce serait formidable si votre gouvernement, par une inspiration véritablement démocratique, décidait maintenant de *débloquer* les législations, les lois et règlements, les décrets, les institutions de l'État, en somme tout ce qui relève de votre « compétence » immédiate, pour favoriser à la base l'expérimentation de l'autogestion, de la décentralisation, de l'autosubsistance agro-alimentaire, de l'école libre, de la dénucléarisation de l'énergie, de l'économie à dimension humaine, etc. Peut-être alors ne vous serait-il plus nécessaire de perdre autant de temps à l'Assemblée nationale des 110. J'attends le jour où un homme politique *en place* osera demander : « Que pouvez-vous faire par vous-mêmes ? Ceci, cela, O.K., allez-y. Vous me direz ensuite ce que l'État ou le gouvernement peut, de son côté, *vous* aider à mener à terme. »

C'est rêver en couleurs ? Peut-être. Chose certaine, toutefois, même si aucun gouvernement ne peut rien débloquer d'essentiel, il faut quand même s'en sortir.

Et la meilleure méthode demeure celle qui consiste à ne compter que sur ses propres moyens.

C'est en tous cas ce que font déjà les mouvements sociaux et culturels qui, en 1978 comme il y a un siècle, demeurent les agents *décisifs* de la transformation de toute société.

Depuis plusieurs siècles, les mouvements sociaux ont produit des partis politiques qui, une fois au pouvoir, ont bloqué ou perverti le changement social. Il est urgent aujourd'hui que les énergies nouvelles libérées par la contre-culture et les contre-pouvoirs donnent naissance à des nouvelles structures de pouvoir politique, à des formations politiques qui ne s'affirment plus comme des *monopoles*.

Voilà ce qui m'apparaît être l'aternative à construire.

Épilogue en forme d'adieu
à Pierre Trudeau

Monsieur Trudeau, il faut vraiment se référer en 1978 à des «vestiges d'inculture» (comme vous disiez il y a 30 ans) pour continuer au Québec à vous péblisciter.

Comme si vous étiez le Duplessis du fédéral, il n'y a chez nous aucun mouvement qui ose défier *le parti unique*. Dès qu'il s'agit de politique fédérale, les électeurs semblent massivement et mécaniquement incorporés à la base même du Parti libéral.

Peu importe que votre gouvernement ait décidé en 1970 d'ordonner l'occupation militaire du Québec, qu'il lance les sbires de la G.R.C. contre les indépendantistes et les gens de gauche, qu'il bafoue quotidiennement les libertés démocratiques, qu'il méprise ouvertement la population, qu'il encourage le chômage et l'inflation, qu'il vende l'économie aux Américains et qu'il ait mis en place un système de patronage cent fois plus efficace et coûteux que celui de feu Duplessis: voter *rouge* à Ottawa demeure un commandement.

Je sais bien que ni le Parti conservateur, ni le Crédit social ni le Nouveau parti démocratique ne constituent des alternatives valables. Néanmoins, il me semble qu'un peuple possédant un minimum de fierté et de dignité *ne peut pas* reconduire au pouvoir le parti politique qui a le plus fait au XXe siècle pour écraser les aspirations des Québécois et qui ne se gêne nullement pour fonder sur le chauvinisme du Canada anglais une escalade de la répression qui risque de transformer un jour le pays en un autre Chili.

Vous avez toujours déclaré, monsieur Trudeau, que vous étiez viscéralement antinationaliste. Pourtant, vous misez constamment sur le chauvinisme anglophone pour combattre le nationalisme québécois. Sans ce chauvinisme, il y a longtemps déjà que le Canada anglais vous aurait oublié. Vous qui prétendiez être l'artisan providentiel d'une société juste et ouverte, vous n'avez cessé depuis 10 ans de manipuler le chauvinisme « tory » pour soutenir une politique fasciste qui, de l'application des mesures de guerre au chantage économique, nie au Québec toute liberté d'action autonome.

Pour mieux creuser la fosse du Canada, vous tentez par tous les moyens de soumettre le Québec. Car votre politique antiquébécoise ne vise en effet qu'à précipiter la continentalisation économique et l'annexion politique. Votre programme politique pourrait se résumer en trois mots : Canada à vendre. Pour que le Canada se vende bien, il faut que le Québec cesse d'élever la voix.

Dès les premières années de la Confédération, le Parti libéral fut celui des Américains. Mais sous votre administration, il n'est plus que celui de la G.R.C. En 1978, les Américains font eux-mêmes les politiques économiques. Ils ne laissent à votre gouvernement que les tâches policières de contrôle, de surveillance et de répression. La sécurité « nationale » est devenue la préoccupation principale de votre cabinet. Toutes les lois sont amendées pour y inclure des clauses relatives à cette sécurité. De l'immigration aux communications, le « libre exercice de la démocratie » est soumis à l'encadrement des polices et des services secrets de l'armée. Mêmes les relations fédérales-provinciales font partie du domaine sacré de la sécurité nationale. Dans un tel système totalitaire, le moindre mouvement devient suspect. Au Parlement, les élus du peuple ne sont plus autorisés à poser de questions sur ce sujet et risquent l'emprisonnement s'il leur vient à l'idée de révéler des faits que la G.R.C. cache aux citoyens au nom de la « sécurité nationale ».

Comme le concept vague et arbitraire de la sécurité nationale est accolé à tous les domaines d'activité, il n'y a plus en fait de démocratie au pays. Vous aurez beau, en campagne électorale, vous promener partout avec le mot liberté à la bouche et une fleur à la boutonnière, *dans les faits,* vous pratiquez un obscurantisme que Salazar seul pourrait trouver chrétien et libéral.

C'est pourquoi il devient urgent que les Québécois, même si les autres partis politiques fédéraux manquent d'envergure, cessent de faire votre jeu en votant libéral « faute de mieux ». Voter libéral à Ottawa, c'est vraiment préférer la politique du pire à l'expression de sa propre dignité.

Lors des prochaines élections fédérales, une seule option s'offre aux Québécois qui se respectent encore un peu: voter contre votre gouvernement. Même si cela doit conduire à l'élection d'un âne, au moins l'âne a moins de chance que Pierre Trudeau d'utiliser la G.R.C. comme bras armé d'une politique de mépris. Du moins, que les Québécois annulent leur vote ou qu'ils s'abstiennent massivement de participer à cette farce coûteuse.

Je n'ai d'ailleurs jamais compris pourquoi le Parti libéral n'a jamais été véritablement contesté au Québec. Malgré la révolution tranquille et l'émergence au niveau provincial du Parti québécois, aucune alternative n'a été créée au niveau fédéral. On disait qu'il n'y avait rien là. Pourtant, en 1970, les Québécois ont bien dû se rendre compte qu'il y avait là, au contraire, quelque chose d'extrêmement dangereux. L'armée cette année-là n'était pas descendue du ciel. Et la G.R.C. n'est pas issue des limbes. On a beaucoup braillé à propos des tactiques subversives du pouvoir central, mais on a continué *comme avant* à laisser le champ libre au parti de la répression.

Aujourd'hui, le Parti libéral se présente à nouveau aux électeurs sans concurrence véritable ni contestation valable. Même le Parti québécois n'ose pas embarquer. Les « affaires fédérales » ne concerneraient qu'Ottawa. La première leçon à tirer des travaux de la Commission Keable n'est-elle pas qu'au contraire les « affaires fédérales » nous concernent directement ?

Comme, à la veille d'une élection, il est un peu tard pour construire un nouveau parti, je propose qu'au moins on n'aille pas voter pour le tyran. N'est-ce pas le minimum qu'un peuple libre doit exiger de lui-même ? À moins que la liberté soit le dernier de nos soucis... et que l'habitude de l'argent nous ait rendus complètement amorphes.

Sommes-nous en guerre ?

Vu d'Ottawa, le pays est en état de guerre. L'armée renforce son arsenal. La G.R.C. recrute du personnel. L'administration fédérale multiplie les scénarios de crise « nationale » et se prépare à donner l'assaut. Québec n'a qu'à bien se tenir ! Le chantage et la peur ont remplacé les discours lénifiants sur « la société juste ».

Comment le fédéral a-t-il pu en arriver là ? Comment l'anticonformiste des années 1950 en est-il venu à rêver de Pinochet ? Dans *Portrait d'un espion,* le journaliste Ian Adams cite un ex-collaborateur de Jean-

Pierre Goyer. Haut fonctionnaire, ce collaborateur a eu le loisir et l'opportunité d'observer de très près le play-boy de la capitale fédérale. Voici un résumé du portrait qu'il trace du démocrate Pierre Trudeau :

« En ce qui concerne la conscience sociale présu-mée du premier ministre, cet homme est sans doute le politicien le plus coriace, le plus rusé, le plus éli-tiste que nous ayions jamais eu, et c'est vraiment quel-que chose. En dépit de l'idée que l'on s'en fait en gé-néral, il y a eu pas mal de *pistoleros* à la tête de ce pays, à diverses époques de notre histoire. Et comme tous ceux-là, Trudeau a respecté le schéma historique : soyez plus dur pour votre propre peuple que dans vos rapports avec les autres pays.

« Il a toujours su comment, lui, il allait mener le pays, ce qui n'avait pas grand-chose à voir avec la parti-cipation. (...) Il multiplia les promesses de renouveau, les enquêtes et les programmes antipauvreté. L'effet de toute cette activité a été parfaitement merveilleux. Le mécontentement a été détourné de l'action véritable-ment politique et les jeunes gens les plus brillants de la société élitiste se sont laissés corrompre par l'argent du gouvernement.

« Des jeunes, toutefois, ont commencé à flétrir les « nouvelles » politiques qu'on leur avait demandé d'ad-ministrer. Alors, les programmes de subventions ont été abolis ou radicalement transformés, et plusieurs grou-pes radicaux se sont automatiquement effondrés. Le premier ministre ayant réussi à établir sa tête de pont dans la population, il n'avait plus besoin de « sa » nou-velle élite. Le temps était venu de réduire le niveau des espérances.

« Et c'est là que la G.R.C. entre en scène. La G.R.C. est un élément essentiel des mécanismes de l'État. C'est elle qui doit veiller au *contrôle* de la population. Conservez à l'esprit le fait que le premier ministre a toujours été le président du comité interministériel sur les Renseignements et la sécurité. Tous les services secrets du pays et tous les comités *spéciaux* relèvent directement du conseil exécutif, présidé par Trudeau.

« Théoriquement, la G.R.C. est l'organisation de ce pays qui est dans la meilleure position pour réussir un *coup d'État* classique. Structure para-militaire très centralisée, elle est dans la position idéale pour s'emparer du pays et même pour créer les conditions politiques nécessaires à la réussite d'un coup d'État.

« Pour l'instant, les services de sécurité se contentent de *contrôler* l'opposition, d'infiltrer les groupes radicaux et de diriger l'extrême droite *contre* la gauche (y compris l'ensemble des mouvements indépendantistes québécois). »

Depuis 1968, la G.R.C. est devenue l'armée secrète personnelle du premier ministre et du Parti libéral.

Telle est, monsieur Trudeau, la « réforme » essentielle de votre gouvernement. Les Commissions Keable et MacDonald commencent à peine à en mesurer le danger.

Quant à la population du Québec, directement visée par cette « réforme » musclée, j'ose croire qu'elle n'a pas à ce point peur de la liberté pour continuer aujourd'hui à subir le fascisme. Si les choses évoluent comme vous le souhaitez, monsieur Trudeau, bientôt seront soupçonnés de « terrorisme » tous ceux qui ne votent pas libéral.

Or, le Québec possède le moyen de mettre fin à cette escalade de la répression. Il n'a qu'à vous refuser son soutien. Vous savez comme moi que votre pouvoir repose entièrement (ou presque) sur le vote québécois. C'est ce vote qui, en 1978, doit se dérober (en optant pour d'autres partis, en choisissant l'abstention ou bien en s'annulant lui-même, peu importe). Nous n'avons pas le droit, individuellement ou collectivement, de jouer le jeu des « mesures de guerre » ou de contribuer aux préparatifs de « troubles civils ». Car c'est essentiellement là le programme du Parti libéral fédéral.

De « l'extrême centre » à Pinochet

Votre politique, monsieur Trudeau, vous la qualifiez aujourd'hui d'« extrême centre ». Vous oubliez de préciser qu'au centre se trouve la G.R.C. et qu'à l'extrême loge Pinochet.

Si une fois de plus votre gouvernement est réélu pour *faire la guerre au Parti québécois,* je ne donne pas cher du Canada des années 1980.

Je redoute la transformation du pays en une caserne à la brésilienne ou à la chilienne. S'il est vrai que le gouvernement Lévesque est timide, conservateur et confus, du moins n'a-t-il ni armée ni police secrète *pour discipliner* et faire taire ses adversaires. À Ottawa, c'est fort différent et beaucoup plus dangereux. Déjà, on semble prendre pour acquis dans la capitale fédérale que députés, juges, journalistes et avocats doivent accepter comme *normale* la suprématie des services secrets. Toucher au secret est devenu un crime plus grave que l'emprisonnement illégal de militants opposés au régime.

J'ignore si vous faites partie, vous aussi, de la Commission trilatérale et si vous téléphonez quotidiennement à Zbigniew Brzezinski. Une chose est certaine, toutefois: la « démocratie restreinte » dont parlent les documents de ladite Commission et les ouvrages savants de monsieur Brzezinski, est déjà réalisée au Canada.

Et voilà que Claude Ryan veut à son tour l'établir au Québec!

Il n'y a pas de quoi pavoiser. Le « tournant historique » que le pays est en train de vivre risque fort de le mener rapidement au camp de concentration. On dira peut-être que j'exagère? Peu m'importe qu'on le dise. Ce qui me préoccupe davantage, c'est ce que l'on refuse encore à *voir*.

Ce n'est pas par simple hasard que les députés fédéraux ont été obsédés ces derniers mois par la question de la sécurité nationale. Même s'ils ne sont pas tous des génies, ils ne pouvaient faire autrement que de se sentir *concernés*, eux aussi, par la stratégie « antisubversive ».

Si Pierre Laporte pouvait parler, il aurait sûrement beaucoup de choses à dire à ce sujet. Vous ne croyez pas, monsieur Trudeau?

Vous n'êtes pas un naïf, tout le monde admet cela. Vous savez que vous-même n'êtes pas à l'abri des coups. Vous savez qu'un jour il est possible que la machine se tourne *aussi* contre votre propre gouvernement (Francis Fox en sait quelque chose), mais, en bon fonctionnaliste que vous êtes, il vous répugnerait de stopper une machine aussi bien huilée.

Il revient donc à la population de le faire. Un vote massivement antilibéral serait déjà un bon commencement.

Table des matières

Achevé d'imprimer par les travailleurs
des ateliers Marquis Ltée de Montmagny
le 8 avril 1978